al pronti [...] sta

profesor D. R. Harris!

18 julio 1986

TEATRO TRAGICÓMICO

Su majestad la moda
La ira y el éxtasis

Eduardo Quiles

TEATRO TRAGICÓMICO

Su majestad la moda
La ira y el éxtasis

Editorial Prometeo

Portada: JOSÉ CARDONA

Primera edición: diciembre de 1980

© 1980: Eduardo Quiles, Valencia

© 1980: Editorial Prometeo, Plaza Cánovas del Castillo, 19,
Valencia

Printed in Spain / Impreso en España

I. S. B. N.: 84-7199-152-7

Depósito legal: V. 2.803 - 1980

Artes Gráficas Soler, S. A. - Olivereta, 28 - Valencia (18) - 1980

---

*Libro subvencionado por el
Excmo. Ayuntamiento de Valencia*

*A Valencia, donde abrí los ojos
a la vida, al pensamiento
y a las candilejas.*

ÍNDICE

ENTREVISTA AL AUTOR A MODO DE PRÓLOGO

Eduardo Quiles, una dramaturgia que no cesa

—*1980 le deparó su primer estreno en Valencia y Madrid, ¿no es así?*

—Sí, por primera, y con *El asalariado*.

—*¿Vale la pena esperar dieciséis años para estrenar en el propio país?*

—Es una anomalía de la cultura crítica amordazada, pero vale la pena.

—*Pero, ¿qué es un dramaturgo?*

—Un dramaturgo es un poeta dramático, debiera serlo. También es la fusión del poeta con el pensador. También es alguien que hace, o se esfuerza en hacer, arte con las ideas. También es una conciencia. Y un espejo, entre otras cosas...

—*Fundamentalmente, ¿qué persigue el autor teatral?*

—Convertir su presente histórico en un utópico edén, en donde no se quiere devorarse unos a otros para realizarse y vivir en plenitud. En el aspecto social, quiere una comunidad sin lobos, sin privilegios, sin desigualdades, sin miserias, sin lacras, sin manipuladores, sin demagogos, sin oscurantistas... Sueña con una sociedad en donde las flores de la libertad, de la solidaridad, de lo justo y de la máxima igualdad posible sean las más cultivadas. Sueña con el hombre nuevo, liberado de la estrechez espiritual y mental del momento, y abierto a todo lo que signifique una visión universal de la existencia.

—*Estas aspiraciones, ¿son una característica del hombre de teatro?*

—No. Son propias de todo aquel que lucha por liberar a la criatura humana. Sólo que si esas aspiraciones se dan en una mente dramatúrgica, entonces, por lógica, arrastrará tales intereses a sus creaciones.

—*¿Cómo definiría sus etapas de maduración como autor dramático?*

—En 1964 descubrí, casi al azar, y por los caminos de la poesía, un teatrillo por algún rincón del inconsciente. Ese teatrillo de bolsillo ignoro quién lo instaló, si la vida, los genes, la conciencia, el sentido de lo justo, el destino, las frustraciones o, quizá, todos fueron sus arquitectos y constructores. Lo cierto es que se suceden, desde 1964, y en etapas esporádicas, una serie de representaciones teatrales en lo más hondo del ser. Mi intervención es mínima: sólo debo trasladar al papel lo oído y visualizado en ese miniescenario del inconsciente. También pienso que ese delirio de embadurnar folios, de desarrollar un lenguaje tragicómico se debe, en alguna medida, a la convicción de que todo lenguaje estético sólo se domina a través de su práctica.

—*Háblenos de su exilio en México...*

—Las puertas del teatro español estaban cerradas férreamente por un montón de censuras, unas políticas y otras de ciertos mandarines de la cultura. Obtengo el Premio Humor de México y salgo para América con la esperanza de poder establecer esa necesaria comunicación autor-público. Y México surgió como una sociedad muy receptiva, como suelen ser los pueblos jóvenes. Un renombrado actor, Carlos Ancira, adquirió los derechos de mis monólogos *El frigorífico, La navaja* y *El homenajeado.* Cedí los derechos de *Diario de una mujer galante* a la empresaria del antiguo teatro Virginia Fábregas, cuyo estreno en España, en 1976, lo prohibió la censura.

—*La prensa ha recogido la noticia de la publicación de un monólogo suyo en Nueva York...*

—Se llama *El tálamo.* Es un monólogo en torno a la problemática de la mujer actual. Quise reflejar críticamente la opresión que sufre la mujer en nuestra sociedad machista. En *El tálamo* la mujer es la gran víctima...

—*¿Su última obra escrita?*

—*El vodevil de las bellas durmientes.*

LACRUZ

Generalitat, Juliol 1980
(Fragmento)

SEMBLANZA DEL AUTOR

Eduardo Quiles (Valencia, 1940) comenzó a escribir para la escena en 1964. Con *Los faranduleros* ganó un primer premio de autores nuevos (Lérida, 1971). En 1972, a raíz de obtener el Premio Humor de México con su obra *El asalariado,* fija su residencia en la capital azteca. En julio de ese mismo año la BBC de Londres traduce y proyecta su obra *Insomnio.* Libre su pluma de censuras, realiza en el Distrito Federal una intensa labor en el mundo de la cultura. Es articulista de fondo y crítico teatral de "El Sol de México". Maestro de guiones en el Instituto Latinoamericano de la Comunicación Educativa, dependiente de la Unesco. Escribe obras históricas para el canal 8 (Televisa), entre ellas *Freud* y *Juicio a don Quijote de la Mancha,* interpretado por el actor mexicano Ignacio López Tarso. De sus estrenos teatrales destacan *Pigmeos, vagabundos y omnipotentes,* dirigido por José Solé, actual director del Teatro Nacional de México, y *Su majestad la moda,* escenificada por el grupo experimental Teatro Joven de México. Para Radio Educación Pública adapta obras clásicas de la literatura infantil y estrena su obra *Tespis, primer farandulero.* También escribe una página semanal de literatura infantil para el suplemento El Sol

de México, con el título de *La visita del enano
bioindegradable*. Cultiva a fondo la minipieza teatral, que publica en suplementos culturales de la
prensa dominical. El poeta Juan Rejano inserta en
"El Nacional" varios relatos de Quiles. Modern
International Drama tradujo y publicó sus obras *The
refrigerator* y *The Bridal Chamber* (1973), *The
Employes* (1975) y *The Cripples* (1979). Las tres
primeras obras fueron recogidas en el libro *New
Generation Spanish Drama* (Editorial Engendra
Press. Montreal, 1976). Nuestro autor regresa a España en 1975. Un año después la censura prohíbe
el estreno de su obra *Diario de una mujer galante*.
Colabora en las revistas "Punto y Coma", de
Barcelona y "Valencia Semanal", entre otras. En
1977 estrena en inglés *El asalariado,* en la Universidad de Nueva York en Binghamton. Su primer
volumen de teatro en castellano sale a la luz en
1979. [1] Es coautor del libro *Motín de Cuenteros*
(Prometeo, 1979), donde aparecen sus cuentos *La
idea* y *Esquilar al señor Burg*. En 1980, el grupo
independiente Teatro del Mare Nostrum escenifica
El asalariado, que supone el primer estreno de Quiles
en España.

---

[1] *La concubina y el dictador, Pigmeos, vagabundos y omnipotentes* y *El asalariado* (Prometeo, 1979).

SU MAJESTAD LA MODA

Dos actos

Personajes:

GISELA
TEODORA
RULFO
CASIMIRO FAUS
PAUL VERLAINE
MARILINDA
ESCABECHE
FUNERARIO I
FUNERARIO II

ACTO PRIMERO

*Una atmósfera de teatro de guiñol rodea a
Rulfo y Teodora. Ambas figurillas se balancean en níveas mecedoras, mientras saborean
un jugo de frutas tropicales. Brota, a continuación, una música de Falla mezclada con
los gruñidos que emite Gisela desde la
cocina.*

GISELA: ...eres un cerdo, Z-1...

TEODORA: *(Abanicándose.)* Qué hija. Qué modales.

GISELA: Las sábanas revientan de mugre... Los uten-
silios de cocina dan asco ...¡Puf! Tu querida
de cama es la negligencia...

RULFO: Z-1 no merece esos ladridos...

GISELA: Y ya puedes condimentar otros menús...
No somos astronautas...

TEODORA: Qué modales. Qué hija.

GISELA: Anoche, mientras enjabonaba mis muslos,
mis nalgas y mis senos... capté tu electrónico ojo
acechando mis encantos... *(Pausa.)* La dictadura
hizo de ti otro reprimido sexual...

RULFO: *(Desperezándose.)* ¡Aaah!...

TEODORA: ¡Aaah!...

RULFO: Me encantaría hablar de esas malditas urnas, de esas subversivas elecciones que, al imitar a la libertina Europa, arruinaron la santa paz del celtíbero.

TEODORA: Pues a mí me encantaría hablar del Tercer Mundo.

RULFO: Y a mí de los vuelos espaciales.

TEODORA: Y a mí de los novísimos abrigos de visón.

RULFO: Mejor hablar, entonces, de la resurrección de la espada más gloriosa del Continente.

TEODORA: Cuando lo canonice el Papa... yo iré de peregrina a la Ciudad Santa... ¿Imaginas? Decir good-bye a mis joyas, a mis pieles, a mis juegos de canasta... y partir, envuelta en harapos, de boutique, claro está, a Roma... ¡Oh, mamma mía! Ya me veo por la autopista Milano-Roma-Napoli rechazando los clásicos romances eróticos del auto-stop ...Sí, me purificaré en las milagrosas aguas del Tevere... y limpia como una virgen de las catacumbas... haré mi entrada triunfal por las murallas del Vaticano... ¡Eso es! Me echaré a los pies del Santo Padre y rogaré un milagro: el milagro en el Valle de los Derrotados...

RULFO: Para eso prefiero hablar sobre la Institución Libre de Enseñanza...

TEODORA: ¡Qué horror! Prefiero hablar entonces de esa ola de pornografía que nos llega de más allá de los Pirineos...

RULFO: ¿Y por qué no charlar de la España negra y de la España futurista?

TEODORA: ¿Y por qué no hablar de la democracia que amenaza a nuestros héroes, santos y patriarcas?

RULFO: Porque sería indecente. Y más con una soltera en casa.

GISELA: *(Su voz.)* Sí, Z-1, también anoche, cuando dormía en pelota viva, oí tus pasos metálicos, tu lujuria de hierro rechinando en mi puerta...

TEODORA: ¡Rulfo! ¿En qué invierto mis horas, minutos y segundos? Dame un millón y apostaré en las carreras de caballos...

RULFO: ¡Ilusa! El pánico a la libertad hizo volar nuestros millones a Suiza...

GISELA: Eres un mito sexual, Z-1... No vales nada.

RULFO: Z-1 es el dios de la era electrodoméstica.

TEODORA: Sin embargo, incordia a nuestra hija...

RULFO: Costó un saco de diamantes.

TEODORA: Con esos diamantes podías haber adquirido una docena de criadas tailandesas...

RULFO: Z-1 es más que un masaje tailandés.

GISELA: Y eso... de que tienes... un falo juguetón y eternamente erecto... habría que verlo...

TEODORA: *(Meciéndose y abanicándose.)* No comprendo el eurocomunismo.

RULFO: *(Meciéndose y abanicándose.)* Ni yo a la juventud actual.

TEODORA: Ni yo la evolución de las especies...

RULFO: Ni yo por qué vuela el Concorde.

TEODORA: Ni yo por qué hablan los televisores...

RULFO: Ni yo esa obsesión armamentista.

TEODORA: Ni yo esa monomanía de repartir el gran pastel de la economía en partes iguales...

RULFO: No entiendo por qué tienen que estirar la pata los enviados por Dios para gobernarnos.

TEODORA: Ignoro tantas cosas...

RULFO: Y yo.

TEODORA: Ignoro por qué me até a un hombre hasta que la muerte nos separe...

RULFO: Ignoro por qué hacemos el amor a escondidas y con remordimientos.

TEODORA: Ignoro quién de los dos es el frígido...

RULFO: Ignoro la verdad del mundo.

TEODORA: Siempre ignoré tu ignorancia...

GISELA: Cada vez desconfío más de ti, Z-1. Ya no me desnudarás para dormir, ni me ajustarás la ropa interior, tampoco aceptaré tus exóticos masajes orientales... ¡Hum! En esta época del pasotismo... hay que escudriñar sin ser escudriñados...

(Se oye el timbre musical de la puerta.)

TEODORA: Será Casimiro...

(Sale Gisela de la cocina: es una bellísima pepona vacía y sofisticada; arrastra una es-

*téril voluptuosidad y luce una túnica de
reflejos escarlatas.)*

GISELA: Doctor Faus. ¡Ojo!

RULFO: ¿Pero vas a...?

GISELA: Ya fue Z-1.

TEODORA: Pero para la familia...

GISELA: ¡Doctor Faus!

*(Entra Casimiro Faus; es un esqueleto alto,
miope, introvertido, enlutado y con sombrero de copa.)*

TODOS: *(En pie.)* ¡Doctor Faus!

CASIMIRO: Hay un tipo durmiendo a pierna suelta
en el jardín...

(Danza de perplejas miradas.)

RULFO: El persianero.

TEODORA: El fontanero.

GISELA: Un mirón.

CASIMIRO: Tiene aspecto guerrillero...

TODOS: ¡Guerrillero!

RULFO: Alguien conspira junto a nuestros rosales...

TEODORA: Desde el año treinta y nueve no oí nada
igual.

GISELA: Será un violador de niñas progres.

TODOS: Guerrillero y violador.

(Pausa.)

RULFO: También podría ser un violador de caballeros otoñales.

(Otra danza de atónitas miradas.)

TEODORA: Puede ser un comunista.

GISELA: O un agente de la CIA...

CASIMIRO: Refunfuñaba y roncaba, refunfuñaba y roncaba.

(Largo silencio.)

RULFO: ¿Y si llamáramos a la policía?

TEODORA: Qué escandalera social.

GISELA: ¿Y si lo interrogáramos nosotros?

(Las miradas convergen en Casimiro Faus.)

CASIMIRO: ¡Ejem! *(Sonrojándose.)* Yo podría... sicoanalizarlo.

TODOS: ¡Oh! Él podría sicoanalizarlo.

RULFO: ¿Y si es un vulgar navajero?

(Revuelo colectivo.)

GISELA: ¿Nos va a acojonar un extraño que ronca en nuestro jardín?

CASIMIRO: *(Sonrojándose.)* Yo podría... hipnotizarlo.

TODOS: Él podría hipnotizarlo.

(Familiar tumulto.)

CASIMIRO: Veamos... *(Se concentra y adopta una actitud profesional.)* Los pies y las manos co-

mienzan a ponerse rígidos... Interviene una
fuerza oculta... Los párpados pesan cada vez
más... Todo el cuerpo es de plomo... ¡No
te resistas! Déjate arrastrar por una fuerza
oculta que te adormece más y más... *(Pausa.)*
Un sopor te vence... ¡Te vence! No te resistas...

(Rulfo sugiere entrar en un estado hipnótico.)

GISELA: Con un brujo moderno como Casimiro...
ya pueden masturbarse extraños junto a mi reja...

TEODORA: ¡Gisela!

CASIMIRO: Señor...

TEODORA: ¡Rulfo!

GISELA: ¡Papá!

CASIMIRO: Le barrí el consciente...

TEODORA: ¡Cielos! Voy a quedarme viuda...

RULFO: *(Entreabriendo un ojo.)* Eso quisieras, pe-
landusca.

CASIMIRO: *(Tomándole el pulso.)* ¿Se encuentra
bien?

TEODORA: ¡Ah! Una atractiva viuda en medio de
esta lujuriosa libertad...

CASIMIRO: Le formulé una pregunta de carácter
clínico...

RULFO: Estoy como un recién nacido. Traiga al
desconocido.

GISELA: Sé precavido, amor mío. Y que te acom-
pañe Z-1.

(Sale Casimiro.)

TEODORA: ¡Ah! ¡Ah! *(Gimotea melodramática.)* Fuiste grosero como un carretero...

RULFO: Soñaste enseguida con la viudez. Ten calma.

GISELA: ¡Oh, qué madrugada más cachonda! Mi desnudo cuerpo encima de la colcha y ese vagabundo regando de espermatozoides el césped del jardín...

> *(Entra Casimiro Faus con un desconocido. Una luz pícara y aventurera brilla en su mirada. La base de su aplomo se la confiere su rico existencialismo.)*

CASIMIRO: ¡El vagabundo!

VAGABUNDO: Me llamo Pablo o Paul.

TODOS: ¿Y qué más?

PABLO: Verlaine.

RULFO: ¡Oiga! Su calavera me es familiar...

TEODORA: Y su figura...

GISELA: Es un impostor. Paul Verlaine fue un célebre poeta francés que se largó al otro barrio en el siglo diecinueve.

TODOS: ¡Farsante!

PABLO: Un moment, messieurs-dames. No se apresuren en sus juicios. *(Pausa.)* Yo, caballeros, soy su reencarnación.

TODOS: ¡Reencarnación!

PABLO: Correcto.

RULFO: ¿Pruebas?

TEODORA: ¿Acta de nacimiento?

GISELA: ¿Mujeres seducidas?

CASIMIRO: ¿Grupo sanguíneo?

RULFO: ¿Carnet de conducir?

TEODORA: ¿Partido político?

GISELA: ¿Doncellas desvirgadas?

TODOS: ¡Pruebas!

PABLO: Mi palabra de poeta es la óptima prueba.
Cuando hablo, cuando me agito, cuando me ins-
piro, cuando se dispara la creatividad... Paul
Verlaine emerge por todos mis poros... *(Pausa.)*
Observen esa fotografía...

(Le devuelven la foto con escepticismo.)

TEODORA: Qué vivos son los vivos con los muertos...

PABLO: Madame, cuando estornudo, Paul Verlaine
estornuda; cuando miro las estrellas, Paul Verlaine también las mira; cuando estoy a solas con
una mujer...

GISELA: Hacen cama redonda los tres, ¿eh?

TODOS: ¡Gisela!

(Pausa del absurdo.)

RULFO: ¿Qué diablos hacía usted durmiendo en
nuestro jardín?

PABLO: Lo que haría el mismísimo Verlaine: in-
comprendido, marginado, arrinconado en un

mundo que no participa del espíritu, de lo elevado y noble del alma humana...

TEODORA: Cómo se expresa...

PABLO: Mi vida es... la clásica vida de un marginado.

RULFO: ¿Y cómo sabremos que Paul Verlaine se aloja entre sus huesos?

PABLO: Dénme una oportunidad y lo sabrán.

GISELA: Tal vez si el doctor Faus lo sicoanalizara...

CASIMIRO: ¡Ejem! Dependerá hasta qué punto la personalidad de este pordiosero precisa participar de la naturaleza del poeta galo.

TEODORA: Será mejor... que ahueque el ala... No es un espíritu aristocrático... ni está en trance de serlo (Pausa.) Y si le hicieran un análisis clínico es obvio que ni sus hematíes ni su ácido úrico tendrían el sabor ni el color... que los nuestros. Además...

RULFO: Carece de la bendición papal.

PABLO: Comprendo. Es mi estrella. Ir de aquí para allá, repudiado, rechazado, sin una mano amiga que se extienda ante mí, y precisamente yo, un sacerdote del arte, un vicario de la cultura, un símbolo del espíritu noble del ser...

TEODORA: Pero, ¿qué podemos hacer por usted? ¿Y para qué sirve?

PABLO: Señora, mi utilidad es inmensa. Depende de las necesidades de los demás, de los mitos de la sociedad, de sus ídolos y modas...

TODOS: ¿Ídolos y modas?

TEODORA: ¿Dijo moda?

GISELA: ¿Habló usted de la moda?

PABLO: Es mi pecado, mi cilicio y mi cruz. Que hoy hay una erótica del Poder; pero no un erotismo de la creatividad...

TEODORA: ¡Ah! Mi masa gris se incendia, arde, es toda lumbre y chispas... *(Pausa.)* Llega galopando una intuición... Más bien una colosal ocurrencia...

RULFO: Le dejamos en el suelo un plato de comida y una lata de agua... ¡Y que se largue!

CASIMIRO: Es un plato suculento para sicoanalizarlo...

TEODORA: Nosotras, las burguesas, somos fieles seguidoras de la moda, la cual nos tiraniza y esclaviza, dependiendo de ella hasta para hacer pis... *(Suspiro necrófilo.)* Recordad a mi tía abuela que a punto de diñarla preguntó qué estilos de ataúdes se llevaban ese año...

GISELA: Pero, ¿quién trajo la moda?

RULFO: ¡Oh! París, Londres, Nueva York...

TEODORA: Nosotros podemos ser los artífices de la moda del año.

RULFO: Mi costilla está chiflada.

CASIMIRO: Imposible con un terapeuta en casa.

TEODORA: ¡Justicia!

Todos: ¿Justicia?

Teodora: Hagamos justicia, y la moda este año... será la de los poetas.

Pablo: *(Hincando la rodilla.)* Noble dama.

Teodora: Óyeme, época mía: la moda, este año, no consistirá ni en ondular el culo, ni en exhibir una tetaza... La moda tampoco será la maxifalda ni la minifalda, y menos... la cabellera larga o rizada...

Gisela: ¡Concluye ya, mamá!

Teodora: Este verano se llevará... ¡El poeta en el hogar!

Todos: ¿Qué desmadre te traes, Teodora?

Gisela: Matiza, madre, o desde luego esto es un desmadre.

Teodora: ¿Hablo para mentes tercermundistas o para cerebros selectos?

(Reverencias de polichinelas a mansalva.)

Teodora: Época del cambio y de libertades que avasalla y arrebata las sayas de nuestras abuelitas... ¡Oídme! La moda que se avecina no radicará ni en atar lenguas ni en secuestrar pensamientos... Todo lo contrario, pueblo. *(Ya con soberbia en su demagogia.)* Hoy la moda consistirá en exhibir un poeta particular. ¡Abajo los yates particulares! ¡Abajo las islas mediterráneas particulares!

Todos: Teodora, serás una paliza si te politizas.

TEODORA: ¡Guau! *(Luego del ladrido, exclama.)* Nuestro presente histórico exige, apremia, incita, reclama, pretende y comprende que el poeta debe ser el ídolo de esta religiosa sociedad de consumo, carajo. ¿He dicho carajo? Qué ex abrupto más pop.

RULFO: Cuánta insensatez en una noble burguesa.

TEODORA: Y nuestra saga o nuestro clan será la privilegiada en inaugurar la moda y gozar de sus atributos. Además, la marquesa Marilinda...

TODOS: ¿La marquesa Marilinda?

TEODORA: La marquesa Marilinda se arrancará sus desgreñados pelos de bruja en cuanto lo sepa.

PABLO: He aquí una idea. Y a la idea, motor de motores, hay que mimarla, adorarla y vigilarla como una piedra preciosa.

GISELA: Pero, mamá...

TEODORA: ¿Existen narradores de moda cuya alquimia con el lenguaje hace pensar que narran para ellos mismos? *(Un silencio teórico.)* ¡Rulfo, Rulfón, contesta y no seas huevón!

RULFO: Existen.

TEODORA: ¿Existen pintorzuelos de moda que ni siquiera la eternidad descifrará el significado de sus telas? *(Pictórico silencio.)* Faus Casimiro, mueve la lengua, que te miro...

CASIMIRO: Existen.

GISELA: ¡Mamá!

TEODORA: ¿Existen autores de farsas que proclaman divertir al pueblo cuando lo que hacen es adormecerlo? *(Pausa dramatúrgica.)* Parla, Gisela, que aquí hay tela.

GISELA: Existen.

TEODORA: *(Grandilocuente.)* Pueblo que me oyes, ante estos latifundistas de la escena, yo...

TODOS: ¡Anarquía! ¡Desmadre!

> *(Se abalanzan sobre Teodora, a la que zarandean. Una anónima mano coloca un porrón en la diestra de Teodora. La mujer esboza un cómico y alcohólico gesto y empina el porrón bajo colectivo griterío.)*

TODOS: Ahora empina el codo Teodora.

TEODORA: *(En pie sobre la mesa, beoda.)* De España vengo, de la España de siempre soy... y mi piel morena lo va diciendo...

PABLO: El espíritu del pueblo canta y baila contigo, dama, dama, dama.

RULFO: Al grano, costilla, al grano...

TEODORA: ¡Hip! Confundir juegos de verbena con teatro es inmoral... ¡Hip! Porque una cuestión es matar el ocio, y otra muy distinta enriquecerlo... ¡Hip! *(Pausa ebria.)* ¿O no es así? ¡Gisela!

GISELA: Amoral.

> *(Aplausos. Bebe Teodora torrencialmente.)*

TEODORA: ¡Hip! ¿No son nuestros dioses los bufones del espectáculo, los ídolos del deporte y los

pigmeos de la política? ¡Hip! *(Observa iracunda
y desmelenada, desde encima de la mesa, a la
concurrencia.)* ¡Hijos de tal por cual! ¡Hip!
¿Es que una guitarra, un balón, una raqueta, una
capa torera y el politiqueo va a suplantar el
Pensamiento? ¡Hip! ¡Hablen, hijos del caviar y
del champán! ¡Hip!...

GISELA: Mamá...

RULFO: Teodora.

CASIMIRO: Madame.

TEODORA: Ni amo a Mao ni al Mau Mau, pero mi
ombligo padece jaqueca de tanto hijo de teta.
¡Hip! *(Graciosa reverencia al mendigo.)* Paul
Verlaine, si el enanismo de la época se masturba
con la moda, ¡hip!, ¿por qué yo no puedo...?

TODOS: Teodora... resbalas por la izquierda... no
te quemes... y dinos qué merengue te meriendas
a solas...

TEODORA: Nada tengo que blasonar, salvo que el
poeta es hoy noticia, ¡hip!

> *(Se relaja la concurrencia. Agresivas luces,
> que alumbraron la perorata y la embriaguez
> de Teodora, se tornan más íntimas. Cada
> figurilla, como movida por invisibles hilos,
> se arrastra hacia su lugar. Teodora recupera
> gradualmente su lucidez. Una falsa armonía
> social trota por la escena.)*

RULFO: Un poeta hoy es un crucigrama. A veces
olvidan cantar a la rosa y al clavel y poetizan
la utopía liberadora.

(Se sienta Casimiro.)

GISELA: Y entre un lírico atardecer y una cola de harapientos en las oficinas del paro... *(Se sienta.)*

CASIMIRO: La deshumanización del siglo motiva al poeta hacia actitudes beligerantes... *(Cae en el asiento, monologando.)*

TEODORA: Coloque su nalga de bardo en la silla, Paul Verlaine, y... *(Obedece Pablo.)* ¡Bien! Yo insisto... *(Mirada retadora.)* en que el poeta es noticia hoy.

PABLO: Es un orgasmo poético oír a tan lúcido intelecto.

GISELA: Pero con esa facha...

TEODORA: ¿Para qué tenemos a Z-1? Dadle la imperial orden para que lo transforme en un poeta según dicta la era tecnológica.

GISELA: Sí, eso, claro, desde luego... *(Súbitamente desenfrenada.)* El proyecto de mamá se sustenta en el pensamiento de la angustia y del absurdo, e incluso bebe en las fuentes de la renovada ideología vaticana.

RULFO: ¡Quietos! *(Se alza.)* Quietos. *(Feudal silencio.)* Antes exijo presupuesto de lo que costaría un poeta doméstico...

TEODORA: *(Pegando su nariz a la del cónyuge.)* Me repugnas cuando aludes al vil metal.

GISELA: Tú a papá no le das un mojicón y menos un bofetón.

TEODORA: *(Manando agresividad por los ojos.)* ¿Me das o no me das un poeta doméstico?

GISELA: Lo... llevaré junto a Z-1...

TEODORA: Ordena a ese hijo de la ciencia aplicada
que nos fabrique, según categorías culturales
avanzadas, un superjuglar.

RULFO: Insisto en saber el costo...

GISELA: ¿Me sigue, poeta?

PABLO: Pablo Verlaine para usted, muñeca.

GISELA: ¿Me hace el honor o el deshonor, Paul
Verlaine?

PABLO: Al mundo opulento le faltan poetas. Será un
placer...

> *(Ofrece, galante, el brazo, y la pareja inicia
> un palaciego recorrido y salen.)*

CASIMIRO: Antes... Antes... ¡Debí husmear su inconsciente!

TEODORA: *(Rozando el éxtasis.)* Es un poeta. No
hay más que radiografiarlo. Es el mismísimo Paul
Verlaine: bohemio, miserable, desdichado, humilde, de alma sencilla y dolorosa. ¡Será un
bardo muy decorativo!

> *(Surge una Luz Gris y embadurna la escena.
> El Sopor, que no se ve, pero que se intuye,
> va cerrando los ojos de las figurillas. Luego
> aparece otro personajillo familiar del Sopor,
> el Sueño, que tampoco se vislumbra. Y entre
> la Luz Gris, el Sopor y el Sueño convierten
> a los protagonistas de la farsa en unos seres
> que ya no se sabe si son humanos o defini-
> tivamente de guiñol. Cuando se borra la*

*plástica que ofrecen, hay un juego de luces
y se ilumina la escena, mientras bostezan y
se desperezan Rulfo y Teodora, que aparecen solos en sus níveas mecedoras.)*

TEODORA: ¡Aaah!...

RULFO: ¡Aaah!...

TEODORA: ¿Hablábamos?

RULFO: Qué petulencia.

TEODORA: Algo cuestionábamos, ¿no?

RULFO: Qué optimismo.

TEODORA: En algo nos ocuparíamos...

RULFO: ¡Sueños modernos!

TEODORA: Eres un agnóstico.

*(Aparece Gisela envuelta en orientales velos
y bailando un ritmo arábigo-andaluz.)*

RULFO: Mira a esa Salomé... Mírala...

TEODORA: ¡Deja de bailar como si estuvieras desnuda!

AMBOS: ¡Gisela!

GISELA: *(Sin obedecer.)* Sí, soy Salomé y Z-1... San
Juan Bautista... ¿Y qué? Soy un producto de
un inconsciente colectivo, ¿no?

RULFO: Puta de cultura, puta de historia, puta de
sicoanálisis... Esta época democrática es una hija
de puta.

TEODORA: La puta Europa nos trajo la putería con-
tinental...

GISELA: Soy algo más que un par de tetas liberales... ¿Entendido? Además, el Amor Brujo me arrebata...

> *(Prosigue Gisela su danza. Surge y desaparece sin cesar, aunque los cónyuges la ignoran y se mecen y abanican.)*

TEODORA: Quiero navegar en góndola por Venecia...

RULFO: ¿Y por qué no por el Guadalquivir?

TEODORA: Comprar chucherías en Atenas...

RULFO: ¿Y por qué no en Andorra?

TEODORA: Esquiar en los Alpes...

RULFO: ¿Y por qué no en el Pirineo catalán?

TEODORA: Y participar de la bohemia del Barrio Latino...

RULFO: ¿Y por qué París?

TEODORA: Me hubiera subyugado ser una George Sand, pero de derechas, reina de salones de la poesía, amante de románticos pianistas...

RULFO: Pues yo, en vez de vivir del cuento y de tu fortuna, podría haber seguido las huellas de Einstein, y con una atómica bomba de bolsillo hubiera obligado a la roja Europa a concurrir al Rosario de la Aurora...

TEODORA: Yo hubiera deseado enamorarme de un príncipe en el exilio, y así mi sangre roja se hubiera coloreado de azul.

RULFO: Y no habría un homosexual libre; un negro fuera de la selva; un librepensador pensando;

un ateo sin cadenas; una feminista sin la cabeza rapada; una huelga sin gases lacrimógenos; una urna sin romper. Ninguna de esas basuras habría... si yo...

TEODORA: Yo, en el fondo, envidio a la linda viuda de Onassis...

RULFO: Aunque no hay más dios que Dios, y el Papa es su profeta, evoquemos a Buda.

TEODORA: Evoquémoslo.

RULFO: *(Luego de místico silencio.)* El infierno no son los otros...

TEODORA: Es el deseo.

RULFO: Y por ello...

TEODORA: Aceptamos una España inamovible.

GISELA: *(Sin cesar de bailar.)* Cuánta hipocresía esconde este techo...

TEODORA: La desvergonzada baila como si fornicara.

RULFO: Ignoro quién puede haberla erotizado de ese modo... *(Pausa tradicional.)* La democracia... ¡No hay duda!

TEODORA: La erotizó Casimiro.

GISELA: *(Surgiendo entre velos.)* ¡Doctor Faus!

RULFO: Pues nadie diría que ese mosquita muerta...

GISELA: ¡Doctor Faus!

TEODORA: ¿Y Paul Verlaine?

GISELA: Lo está poniendo a punto Z-1.

TEODORA: Será la bomba social del año.

RULFO: Una bomba que me costará un huevo.

(Suenan pasos humanos y también metálicos; luego aparece Pablo.)

TODOS: ¡Paul Verlaine!

PABLO: Me siento un poco incómodo...

TEODORA: Qué melena.

GISELA: Qué barba.

TEODORA: Qué sandalias.

GISELA: Qué poncho o jorongo.

PABLO: Un río de extrañeza corre por mi espinazo...

RULFO: ¡Semeja una aparición!

TEODORA: Z-1 ha cumplido.

GISELA: Está para comérselo...

RULFO: No participo de los criterios estéticos de Z-1.

TEODORA: La estética de Z-1, supina ignorancia, es la estética de la sociedad de bienestar. Z-1 tragó una catarata de datos sobre el hombre de hoy y sobre los problemas socio-económicos-políticos-filosóficos-culturales dominantes.

GISELA: Z-1 hizo tan sólo funcionar sus células fotoatómicas.

TEODORA: ¡Okey! Z-1 estimuló su masa gris, esa masa gris que hace de la razón pura de Kant una pura caca.

RULFO: No sé, no sé. Kant es Kant. Y es mucho Kant para una era tan mísera como la nuestra.

TEODORA: ¿Y Casimiro?

GISELA: El doctor Faus fue requerido para una exploración... Z-1 quedó como una esponja deprimida luego de aderezar a Paul.

TEODORA: ¡Joder! Diga usted algo...

PABLO: La luz crepuscular calienta los muslazos de las damas presentes...

RULFO: ¡Eh!

TEODORA: *(Hecha una ola de agitación.)* Lo esencial es ver dónde lo ponemos. *(Rastrea con la mirada el salón.)* Aquí.

GISELA: No, mamá. No hace juego con el Picasso ni con la lámpara de pie.

TEODORA: ¿Y si plantáramos a Paul Verlaine entre la vajilla de plata y el reloj chino de oro?

GISELA: Qué pésimo gusto. Qué decadencia. Mamá, el poeta debe estar junto a la pianola y la librería.

TEODORA: Junto a Picasso.

GISELA: Junto a la pianola.

TEODORA: Picasso.

GISELA: Pianola.

TEODORA: ¡Chula!

GISELA: ¡Bueno! ¿Y qué?

RULFO: En mi mansión nadie levanta la voz.

PABLO: Voz, ave mensajera que llevas en las alas un requiebro de don Juan y un suspiro de doña Inés.

TEODORA: Mi ombligo está deslumbrado. Un poeta de carne y hueso en nuestro palacete.

GISELA: ¿Cómo sabes, mamá, que es de carne? ¿Acaso te cercioraste? ¡Ah, mami! ¿Qué hiciste de tu pensamiento científico? *(Recriminándola.)* Experimenta.

TEODORA: ¿Yo? *(Loca de ganas, pero mística.)* ¿Yo?

GISELA: Experimenta.

TEODORA: ¿Experimento con él, Rulfo?

RULFO: ¡Teodora!

GISELA: Bastará con... tocarlo.

TEODORA: ¿Me permite que lo toque, monsieur?

PABLO: Sus manos de ángel transformarán mi cuerpo en una arpa encantada.

TEODORA: ¡Hija! ¿Dónde se toca en tu época?

RULFO: ¡Dejémonos de zarandajas! ¿Eh?

TEODORA: ¡Ay, Dios! ¿Dónde ubicar al poeta?

RULFO: Que se sitúe donde le venga en gana. ¡Libertad!

TODOS: ¿Libertad?

RULFO: La libertad es base y principio de todo auténtico progreso...

TODOS: Rulfo Rulfón eres un masón.

RULFO: Según Stuart Mill. *(Pausa conservadora.)* Un apátrida más, claro.

TEODORA: ¡Hale! ¡Hale! Diga algo... No se quede sin voz...

PABLO: ¿Qué hay de comer? Me muero de ganilla...

GISELA: ¡Desilusión! Un poeta que manduca.

PABLO: ¡Joroba que no! No hay mejor imagen poética que un cochinillo asado y rociado con mantequilla y ron...

TEODORA: ¿Quién iba a intuir que un poeta del siglo veinte tuviera tamaña inquietud? ¡Crisis estética en el mundo contemporáneo!

GISELA: Papi, pásame el comprimido de la depresión. Me siento frustrada y no está aquí mi amor y sicoanalista.

RULFO: *(Estrujando el abanico.)* ¡Moderación, joven trovador! Otra frustración más y lo llevo al juzgado de guardia.

PABLO: El poeta, damas y caballeros, no frustra, encanta. Oiga lo que sigue: la señora, flor y estrella de la mansión, evoca a una sílfide cuando se baña en un lago de sol.

TEODORA: ¡Ay! ¡Ay! ¡Ay!

> *(Se desvanece. Una ola de muñecos la rodea y abanica.)*

RULFO: ¡Teodorita, no me dejes viudo! *(A Pablo.)* ¡Homicida!

GISELA: Mamá.

PABLO: Alta señora.

RULFO: Santa Rita, Rita, sálvanos a Teodorita.

TEODORA: *(Despertando con violencia.)* ¡Nadie me hizo jamás un poema!

TODOS: ¡Milagro!

RULFO: *(Pasando a la acción.)* Te di todo lo que puede exigir una mujer.

TEODORA: Pero jamás me brindaste un poema.

RULFO: Te di joyas, pieles, yates, viajes, autos últimos modelos. Todo. Te lo di todo.

TEODORA: *(Lloricona.)* ¡Jamás un poema! ¡Ah! ¡Ah! *(Llora a raudales.)*

RULFO: *(A Pablo.)* Con usted entró la discordia.

GISELA: Habría que patearle los cojones.

TEODORA: ¡Jamás un poema!

PABLO: Habla la señora y es como si parlara el manantial y el ruiseñor a la par.

TEODORA: *(Irguiéndose y tambaleándose.)* Rulfo, la cartera. Dale un dólar.

PABLO: ¿Y por qué no una libra esterlina?

TEODORA: Un dólar.

PABLO: Una libra.

TEODORA: Un rublo.

GISELA: Un marco.

CASIMIRO: *(Entrando con la pipa colgada en el labio.)* Un peso.

TEODORA: Una lira.

PABLO: Un franco.

GISELA: ¡Una mierda!

TODOS: ¡Gisela, Giselita es una obscena periquita!

RULFO: ¿Dónde te doctoraste, guapa? ¿En Salamanca?

GISELA: Me senté al lado de Marcuse en Freiburg para oír a Heidegger. Ja. ¡Trágate esa mandarina!

TODOS: Hablar a un padre-patrón sin educación es una aberración.

PABLO: ¿Alguien dijo universidad? ¿Y qué me dicen de la universidad de la vida? Al menos a Paul Verlaine la Facultad de los Suburbios le dio sus poemas... *(Observando a los reunidos.)* Au revoir, Paul Verlaine seguirá arrastrando una vida de miseria y de nobleza.

TEODORA: Continúe, siga, prosiga.

PABLO: De seguir ahora... ¡Cuesta diez libras!

RULFO: ¿Quién le sopló al oído que la poesía subió de cotización en la bolsa, joven?

PABLO: La señora. Esa estatua mística y ardiente. Ese cuerpo labrado para la caricia. ¡Oh, sí! Imagino a esta escultura echada en la playa y besada sólo por las olas y la luna...

TEODORA: ¿Sólo?

PABLO: De pronto, un poeta desnudo surge de las entrañas del mar...

RULFO: *(Veloz.)* Aquí tiene cinco libras…

TEODORA: *(Dando brincos.)* ¡Oh, poeta! ¡Poesía!

PABLO: Disculpe. Son diez libras.

TEODORA: Diez libras en pesetas, marido.

RULFO: Por ese dinero… yo soy capaz de…

TEODORA: Otro madrigal, bello juglar.

PABLO: Serán cien rublos, damita.

RULFO: *(Dejando de abanicarse.)* ¡Teodorita!

TEODORA: Paga, traidor. Que te embolsaste la herencia de mis archimillonarios y reverendos papás.

RULFO: No me la embolsé. La muevo, la barajo, la combino, la invierto y obtengo fruto…

TEODORA: *(Melodramática.)* Mi dinero. Te enamoró mi dinero.

RULFO: Sentí el flechazo. Es todo.

TEODORA: Te casaste con mi oro. Llevaste al altar mis valores bursátiles…

GISELA: *(Derrumbada sobre Casimiro.)* Soy un producto del vil metal. ¡Ah!…

CASIMIRO: Como vuelvan a atentar contra el sentimiento de valer de Gisela, yo… *(Pausa.)* Si estimulan complejos en el ego y en el super-ego de mi novia…

PABLO: ¡Novia! Qué dulce frase brota de tu laringe de artista de la ciencia.

TODOS: ¡Paul Verlaine!

PABLO: ¿Por qué usted es...?

CASIMIRO: *(Alzándose.)* Sicoanalista, diplomado y homenajeado.

PABLO: Sicoanalista... Cómo gozan las sílabas igual que níveas palomas al recobrar la libertad de esa garganta sonora...

CASIMIRO: ¿Cómo estás, amor mío?

GISELA: Dame una píldora.

CASIMIRO: ¿La del complejo de Electra?

GISELA: ¿No será la del complejo de Edipo?

CASIMIRO: ¿Y tú me lo preguntas?

PABLO: Poesía... ¡Eres tú!

TEODORA: No me cabe duda que es usted Paul Verlaine.

PABLO: Y de no serlo... lo sería contemplándola a usted.

RULFO: ¡No jorobemos, que es mi costilla!

PABLO: Es peligroso pensarlo. Podría tostarla a la brasa y devorarla.

TEODORA: ¡Ya no hay duda! Tiene carne de poeta.

RULFO: La ciudad está infectada de...

PABLO: Bardos.

GISELA: Impotentes.

PABLO: Trovadores.

CASIMIRO: Paranoicos.

PABLO: Juglares.

RULFO: Incendiarios.

PABLO: Rapsodas.

TEODORA: Liberales.

PABLO: Cantautores.

RULFO: Traidores con el pasado.

PABLO: Alumnos de las musas.

GISELA: Fetichistas.

PABLO: Copleros.

CASIMIRO: Oligofrénicos.

PABLO: Rimadores.

RULFO: Apátridas.

PABLO: Sonetistas.

RULFO: Libertarios.

PABLO: ¡Señores!

TEODORA: Mi poeta particular.

> *(Coge su mano, la alza y recorre la sala, exhibiéndolo como un caballito de raza.)*

PABLO: En nombre del arte exijo respeto para Paul Verlaine.

TODOS: Lo respetamos, saboreando sus obras.

GISELA: *(Sentándose.)* Me extasié con su "Sagesse".

RULFO: Yo gusté de la "Buena canción".

CASIMIRO: ¿Y qué decir de "Las fiestas galantes"?

TEODORA: Jamás olvidaré "Romanzas sin palabras"...

PABLO: Mantengo y subrayo que las deliciosas clases superiores no disfrutan tan íntimamente de un poeta como ustedes...

RULFO: *(Irguiéndose.)* Eso puede comprobarse.

PABLO: Mi encantadora dama, agarre el teléfono y cerciórese.

RULFO: Cerciórate.

GISELA: Cerciórate.

CASIMIRO: Cerciórese.

TEODORA: Si me impulsan...

TODOS: Es obvio que impulsamos, Teodora.

TEODORA: Conforme. *(Empuña el teléfono y marca un número tras otro.)* ¿La Reina del Aceite de Oliva? ¡Disculpe!... *(Pausa.)* ¿La Reina del Vino Tinto? ¿No? ¿Está ausente? Qué lastima... *(Pausa.)* ¿La Magnate de los Autos Deportivos? ¡Ajá! Menos mal... *(Pausa.)* ¿Querida?... Teodora ...Ja. Ja. Qué verde estás hoy... *(Pausa.)* Oye, ¿tienes por casualidad un poeta en la mansión? ¿Ninguno? Vamos, reina del motor, no te desmorones... ¿Que por qué un poeta? Intúyelo... No suelto prenda... No. No. ¡Hasta lueguito! *(Cuelga.)*

PABLO: ¿Enterados, so enteradillos?

RULFO: *(Dictador.)* Insiste.

CASIMIRO: Insista.

GISELA: Insiste.

TEODORA: Pero...

TODOS: ¡Teodora!

TEODORA: *(Obedeciendo.)* ¿La marquesa del Mar...? ¿Sí? ¡Gracias! *(Pausa.)* ¿Eres tú, querida emperatriz de yates de recreo? ¡Teodora! *(Pausa.)* Oye, Marilinda, ¿no tendrás acaso un poeta en la sopa, eh?

PABLO: Pongan la oreja, pongan la oreja...

TEODORA: ¡Oh! ¿Que para qué sirve un poeta?

(Mira con desolación a su alrededor.)

PABLO: ¡Déme! *(Por el teléfono.)* ¿Emperatriz de yates y de peces?

TEODORA: De peces humanos.

PABLO: Oiga, sirena: ¿lo dijo en serio? Pues pegue el oído al teléfono... *(Pausa.)* Un poeta es algo serio: que exterminen a las mentes poéticas y este basurero que gira por el cosmos asfixiará a sus moradores con su hedor. Un poeta, quien sea, ya trabaje con piedra, color, sonido o palabras... es el gran domador de los instintos... Si no quiere pasarse media vida rebuznando, ponga a un poeta a la mesa... *(Ceremonioso.)* A sus pies, soberana de las algas...

RULFO: Que no es lo mismo que reina de las nalgas.

PABLO: Obviamente.

(Pausa publicitaria.)

TEODORA: Se disparó el mecanismo del lanzamiento del poeta. *(Suspira.)* Marilinda brincará dentro del superdeportivo y a velocidad cósmica enfilará nuestra residencial calle...

RULFO: *(A la parejita.)* Y ustedes... ¿Qué hacen con las manos?

CASIMIRO: Iniciaba un chequeo sicológico de tête à tête...

TEODORA: Que no es lo mismo que de teta a teta.

CASIMIRO: Obviamente.

TEODORA: ¡Fabuloso! Paul Verlaine estuvo fabuloso con Marilinda.

RULFO: ¡Bah!

TEODORA: Paul Verlaine es un sueño de alta sociedad.

RULFO: ¡Bah! ¿Un poeta lanza hombres al espacio? ¡No! ¿Un poeta abarata o encarece productos de primerísima necesidad? ¡No! ¿Un poeta rescata enfermos a la muerte? ¡No! ¿Un poeta fabrica autos, construye rascacielos, anima la bolsa? No. No. Entonces ...¿a qué esa lluvia de incienso para quien pregona ser Paul Verlaine?

PABLO: Es usted una víctima más del asqueroso minuto histórico que nos tocó vivir. Y por eso mi bohemio corazón sufre y se desangra...

(Repicotea el timbre de la puerta.)

GISELA: Z-1, abre la puerta, y si es una dama, no
le metas mano...

> *(Una luz anaranjada invade el salón, mien-*
> *tras brota una extraterrena risotada y suenan*
> *metálicos pasos.)*

TELÓN

SEGUNDO ACTO

Hay una falsa serenidad en el teatrillo de títe-
res; cada figurilla se mece y abanica en
su respectiva mecedora. Luego surge Mari-
linda: menopáusica, rezumando omnipoten-
cia y atestada de joyas y pieles. En su rostro
arde una rabiosa llamarada. Los tonos ana-
ranjados, casi mágicos, languidecen, y una
luz blanca da realismo al saloncito.

MARILINDA: ¡Obsceno!

TEODORA: *(En pie.)* Querida…

MARILINDA: Vuestro Z-1 es un obsceno. Como es
habitual… dio la palmadita en mi nalga y me
exprimió un seno.

TODOS: *(En pie.)* Marquesa Marilinda.

MARILINDA: No empezemos…

(Un rubor tiñe los rostros. Se sientan.)

TEODORA: ¿Y tu marido, Marilinda?

MARILINDA: En el rellano de la escalera.

TEODORA: ¡Ah! Dile que entre.

MARILINDA: Ni hablar del peluquín.

TEODORA: Pero... ¿Por qué?

MARILINDA: Hoy me llamó puta.

(Pausa social.)

TEODORA: ¡Ejem! Te presento a... nuestro poeta.

MARILINDA: ¿Un poeta particular?

(Adopta Marilinda una actitud inquisidora y examina con agrio semblante a los anfitriones.)

MARILINDA: ¿De dónde lo sacaste?

TEODORA: De por ahí...

MARILINDA: Me salen almorranas de tanto cantamañanas... *(Girando como una víbora.)* ¡Ah, traidora! ¡Qué calladito lo tenías...! ¡Te me has adelantado! Eres una zorra... *(Pausa burguesa.)* ¿De dónde salió la moda? ¿París? ¿Londres? ¿Nueva York?

TEODORA: No solté prenda porque...

MARILINDA: Para ocupar el trono. ¡Pero no vas a arrinconarme!...

RULFO: Saque la mano de ahí...

CASIMIRO: Sigue el chequeo...

RULFO: ¡Ojo con ponerla cachonda! ¿Oído y asimilado?

MARILINDA: Me defraudaste, Teodora...

RULFO: ¿Y usted, qué?

PABLO: En la caja fuerte de mi imaginación guardo unos versos por unas pesetillas...

(Pablo continúa gestando poemas con lápiz y papel.)

TEODORA: Resígnate, Marilinda.

MARILINDA: De eso nada, monada. *(Dictadorzuela.)* ¡Escabeche!

TODOS: ¿Escabeche?

MARILINDA: Lo domé, lo eclipsé y lo hice mierda. *(Energúmena.)* ¡Escabeche!

(Entra Escabeche, trajeado a rayas, igual que una cebra. Da saltitos.)

ESCABECHE: Una momia...
Buscaba un día, leré.
Un lacayito, leré.
Para holgarse, leré.
Tú serás mi ama, leré.
Y yo tu negrito, leré.
Y a cambio del yugo, leré.
Los pies con champaña...
Bañaré...

MARILINDA: Escabeche, he aquí a mi amiga de la infancia y a su finola y bullanguera familia.

ESCABECHE: ¡Oh! Me siento muy congratulado con este contacto social...

TODOS: También nosotros, Escabeche, quedamos congratulados.

ESCABECHE: Marilinda, Dulcinea de los yates de recreo..., retira el kilométrico collar perruno que inmoviliza mi cuello y preséntame en sociedad.

TODOS: Presentado estás, Escabeche.

(Brota irónica musiquilla. Marilinda libera a Escabeche del collar. Pronto las figurillas, ensayando pantomímica danza, se agrupan, gesticulan y estrechan la mano de Escabeche, que exhibe una grotesca sonrisa equina.)

MARILINDA: ¡Bastaaa!

(Cesa la música; se ahogan los alborotos.)

ESCABECHE: *(Herido por un rayo de frustración.)* Pero... Marilinda...

MARILINDA: Por tu noticia, Teodora, sufrí un celoso pataleo...

ESCABECHE: Lo que dice es la verdad, toda la verdad y nada más que la verdad...

MARILINDA: ¡Muérdete la lengua, majadero! *(Iracundo suspiro.)* ¿Sabes quién se adueñó de la moda?

ESCABECHE: Tú eres la moda, Marilinda querida.

MARILINDA: ¡Ladra otra vez y te desheredo!

ESCABECHE: *(Llorón.)* ¿Y qué quieres?

MARILINDA: De París, de Hollywood, o de Tanganica acaba de salir la moda, ¡la última!, y no participo de ella... (Rabiosamente histérica.) Y ellos sí...

ESCABECHE: ¡Ah, cabronazos! *(Pausa folletinesca.)* Pobrecita Marilinda... *(Pausa heroica.)* Dime qué debe hacer tu caballero Escabeche, y de inmediato tú, adorada Marilinda, serás la moda.

MARILINDA: Sube al Alfa Romeo, trágate los semáforos, no te importen que sean rojos, y búscame un poeta...

ESCABECHE: ¡Okey, Marilinda!

(Sale como una centella, pero regresa.)

MARILINDA: ¡Galopa, Escabeche!

ESCABECHE: Un poeta... ¿Y para qué quieres un poeta?

PABLO: En este estercolero que navega por las estrellas... hacen falta poetas, Escabeche.

ESCABECHE: ¡La madre que me alumbró! No entiendo ni torta. Pero tendrás un poeta... *(Sale como una liebre, pero regresa.)* ¿Y dónde puedo hallar un poeta?

PABLO: Por la vida, Escabeche. Por los trenes de mercancía, Escabeche. Por los suburbios, Escabeche. Por donde crezca una flor, emerja una estrella, se oiga el silencio, sueñen unos amantes, juegue un niño, busque pan un mendigo, rasgue una guitarra un ciego, por cualquier parte, Escabeche.

ESCABECHE: *(Rascándose la pelambrera.)* ¿Seguro que por ahí...?

PABLO: Más o menos, Escabeche.

RULFO: Ese monologuito no costará nada, ¿verdad?

PABLO: No es mercancía de encargo. Es pura creación. Y por ende, gratis.

ESCABECHE: *(Repentinamente iluminado.)* ¡Aquí parece que hay uno, Marilinda!

MARILINDA: *(Pálida de resentimiento.)* Puro cerebro. Pura masa gris. ¡Escabeche! ¡Escabeche!

ESCABECHE: *(Lloricón.)* Parece uno de esos que tú buscas...

MARILINDA: ¡Oh!

> *(Se retuerce las manos; duda. Lanza, después, una homicida mirada a Escabeche. Por fin, se serena.)*

MARILINDA: ¿Dónde puedo sentarme?

TODOS: ¡Ah! Qué descorteses fuimos.

> *(Se observan agobiados por el rubor.)*

TEODORA: En esta silla del renacimiento italiano.

GISELA: En el sillón Felipe II.

CASIMIRO: En la silla Felipe III.

RULFO: En el sillón Luis XIV.

TEODORA: En la silla Luis XV.

GISELA: En el sillón Luis XVI.

TEODORA: En el arcón rococó.

CASIMIRO: En la consola.

RULFO: En la alfombra.

TEADORA: En la pianola.

GISELA: En el excusado.

RULFO: ¡Bastaaa!

> *(Silencio del absurdo.)*

RULFO: Marquesa Marilinda, acomode su simpar trasero donde le plazca. Juré odio eterno a la anarquía.

MARILINDA: ¡Escabeche!

(Relincha Escabeche y se curva como un dromedario; sube a horcajadas Marilinda.)

ESCABECHE: ¿Dónde?

TODOS: ¡El Señor se apiade de nosotros!

ESCABECHE: ¿Dónde?

MARILINDA: Por la derecha, y a trote corto, hacia el sillón Luis XVI...

TODOS: Marquesa, reconsidéralo: la noche de los señores feudales se extinguió...

MARILINDA: ¡Otro huevo! ¡El otro huevo de Colón!

RULFO: Dejemos los huevos históricos y difuntos en paz.

MARILINDA: *(A Escabeche.)* Mulo, mulito, llévame a caballito...

TODOS: Marquesa Marilinda, reconsidéralo: el fantasma del divorcio se nos viene encima...

MARILINDA: ¡Mosquitos y moscas masoquistas! *(A Escabeche.)* Arre, mulo, hijo de burra...

(Trota Escabeche y conduce a Marilinda al sillón Luis XVI.)

ESCABECHE: Desmonte, mi ama.

TODOS: Si no lo vemos... no lo creemos.

MARILINDA: ¡Toma! Ahí va tu premio...

(Introduce en la boca de Escabeche un billete de mil pesetas. Escabeche se relame con la

*vista, simula masticar el dinero y luego lo
oculta en su billetera. Seguidamente se hinca
Marilinda de rodillas ante Teodora.)*

TODOS: La marquesa Marilinda por los suelos...

MARILINDA: Teodora... ¡Véndemelo!

TODOS: Si no oímos... no admitimos que lo vimos.

TEODORA: Ilusa.

PABLO: *(Lamiendo su diestra.)* Gracias, rayo de sol.

(A Marilinda.) ¡No estoy en venta!

MARILINDA: Todo está en venta.

PABLO: ¿Qué es todo?

MARILINDA: ¡Oh! Pues... todo.

PABLO: ¿Todo?

MARILINDA: Misiles con cabezas atómicas.

GISELA: Sexos artificiales.

RULFO: Derechos humanos.

TODOS: Todo está a la venta.

CASIMIRO: Se vende cordura al demente:

RULFO: *(Imitando a un vendedor callejero.)* Hay
barata democracia europea... ¡El demócrataaa...!

*(Las figurillas se desplazan hacia el área
escénica donde vocea su mercancía Rulfo.)*

UNOS: ¡Eh, oiga!

OTROS: ¿A cómo el kilo?

(Pantomima de compra-venta.)

CASIMIRO: Hay sicoanálisis a precios rebajadooos...
(Ahora las figurillas corren alocadamente a otra área escénica, en pos del nuevo vendedor ambulante.)

UNOS: ¡Eh, oiga!

OTROS: ¿A cómo el kilo?

CASIMIRO: Por el precio de un sicoanálisis... una docena. El sicoanalistaaa...

TODOS: Me compras y te vendo. Me vendes y te compro...

RULFO: *(Canturreando.)* Muchachas, lleguen vírgenes al altar luego de cachondísimas orgías... El milagrerooo...

(Nuevo desplazamiento de los fantoches, que avanzan hacia otro costado escénico, mientras exclaman.)

TODOS: Me compras y te vendo. Me vendes y te compro.

GISELA: ¡Oh, qué vendedor más liberador! Llevará consigo un mercado negro de anticonceptivos...

TODOS: Me compras y te vendo. Me vendes y te compro.

RULFO: El milagrerooo...

GISELA: *(Exhibiendo un billete.)* Véndame su mercancía, por favor.

RULFO: Aquí tiene: un virgo de recambio... *(Se lo ofrece.)* El milagrerooo...

TEODORA: Qué barbaridad. El Globo-Tierra es un fabuloso mercado.

MARILINDA: Oferta y demanda. Demanda y oferta.

GISELA: *(Canturreando.)* Familia selecta ofrece pasota virgen para matrimonio...

TODOS: Me compras y te vendo. Me vendes y te compro.

PABLO: García Lorca y Paul Verlaine suben de precio en el mercado.

MARILINDA: Y para colmo, disfrutar de un siervo cuesta un huevo.

TEODORA: Pero tu Escabeche tiene dos.

TODOS: ¡Teodora!

TEODORA: Disculpen, yo pensé...

ESCABECHE: Y pensó bien.

RULFO: ¿Quedamos persuadidos de que nuestra Europa se degradó hasta convertirse en un supermercado?

TEODORA: A Dios gracias.

MARILINDA: ¿Qué podría adquirir el hombre de las cuevas de Altamira? Alfalfa. Y además, silvestre. *(Pausa troglodita.)* Teodora...

TEODORA: Marilinda, no jorobemos. Mi poeta doméstico es intransferible.

MARILINDA: Quedamos... en que todo se compra...

ESCABECHE: A mí me compró.

GISELA: Qué ordinariez.

ESCABECHE: Llegó ella a mi pueblo y se alojó en el balneario cuyas aguas termales disimulan las patas de gallo... *(Pausa balnearia.)* El caso es que Marilinda me vio derribando a un toro bravo con otros mozos y dijo: Busco un semental para cónyuge... ¿Cuánto vales? El precio es un millón y te llamarás Escabeche... *(Pausa mercantil.)* Entonces fuimos al banco, abrió una cuenta a mi nombre... y se pasa la vida... *(Lloricón)* llamándome Escabeche...

MARILINDA: ¿Y quién te dijo, mal nacido, que pregones nuestra vida privada en público? *(Soliviantada).* Recuerda que cuando lleguemos a casa te aplique el suplicio del cojón.

ESCABECHE: Sí, Marilinda.

RULFO: ¿Y por qué esa tortura?

TEODORA: ¡Oh, querida! Qué femenina eres con el varón.

MARILINDA: ¡Bien! ¿Vendes a Paul Verlaine?

TEODORA: Te gané la baza, marquesa. Acepta tu derrota.

MARILINDA: Me gustaría tanto disecarlo y colocarlo en el recibidor... junto al escudo nobiliario.

TEODORA: ¡Sueños de grandeza!

MARILINDA: Tiene que ser muy "pop" lucir un poeta embalsamado y exhibirlo ante los invitados... *(Vaga por el salón, rozando el éxtasis.)* Joyas, pieles, ríos de champán, lamento de violines...

un strip-tease, alguna que otra cama redonda...
y luego de la orgía... toda la élite a la vitrina a
gozar de la visión del bardo momificado...

PABLO: Es usted un vampiro, marquesa.

MARILINDA: ¡Escabeche!

ESCABECHE: Amor mío...

MARILINDA: Ya lo oíste. Fui injuriada.

ESCABECHE: ¡Ajá! ¿Injurió a Marilinda, eh?

MARILINDA: El guante blanco de seda, Escabeche.

ESCABECHE: Sí, Marilinda.

*(Escabeche extrae un guante y abofetea a
Pablo.)*

PABLO: ¿Qué haces, pendejo?

TODOS: ¡Un duelo!

TEODORA: ¡No! No me arriesgaré a perder a...

RULFO: El honor, Teodora, el honor.

TODOS: El honor es lo único que nos queda. Y sólo
la sangre puede limpiar, blanco, blanquísimo el
honor.

PABLO: *(Con desasosiego.)* ¿Hay pistolas? ¿Sables?
¿Puñales? ¿Bombas Mólotov?

TODOS: Disfrutamos de todo un arsenal de armas
que nos legaron nuestros nobles antepasados.

GISELA: Elijan.

RULFO: ¿Espadas romanas?

Casimiro: ¿Espadas griegas?

Gisela: ¿Espadas celtas?

Teodora: Bastará con un par de espadas diplomáticas del siglo XIX. *(Pausa tradicional.)* Rulfo, descuélgalas.

Todos: ¡Por el honor!

Rulfo: Aquí tienen, caballeros, las espadas.

Escabeche: Marilinda... ¿A sangre o a muerte?

(Marilinda coloca el pulgar en posición vertical.)

Todos: ¡Oh! ¡A muerte!

(Pablo y Escabeche, luego del ritual del esgrimidor, se baten con fiereza. De inmediato Gisela pasea por entre los reunidos con una bandeja colgada del cuello.)

Gisela: ¿Cigarrillos turcos? ¿Güisqui escocés? ¿Peladillas de Liria? ¿Aguacates andaluces? ¿Tintorro riojano? ¿Chicle americano?

Teodora: ¡Mi Paul Verlaine!

(Corre alocadamente hacia el teléfono.)

Teodora: Por favor... ¿Pompas fúnebres "Viajes Exóticos al Paraíso"? ¡Sí! Traigan a todo gas un... ¡Bueno! Usted ya sabe... ¿Qué?... ¡Oh!... ¡Atrevido! ¡Burlador! ¡Castigador! ¡Tenorio!...

Marilinda: A ver ese cigarro turco...

Casimiro: Y ese aguacate andaluz...

RULFO: Y ese tintorro riojano…

TEODORA: ¿Qué me espera esta noche en la fosa mil cinco, entrando por la avenida de los panteones, tres hileras a la derecha… junto a un alto ciprés…? ¡Hereje!

(Casimiro extravía su mano por entre los jugosos senos de Gisela.)

RULFO: Esperemos que el bebé salga a los nueve meses luego de los acordes de la marcha nupcial…

GISELA: Papá…

PABLO: ¡Caramba, Escabeche! ¿Quién te enseñó esgrima?

ESCABECHE: Je. Je. Antes de cocinero, fui fraile. Je. Je.

TEODORA: ¡Ja! Seguro que es usted un maniático sexual… *(Cuelga el teléfono.)* Hay que esperar, querida. Sentémonos…

MARILINDA: *(Saboreando el Rioja.)* Si no se derrumba el juglar en un charco de sangre, te lo cambio por un auto deportivo que lleva incorporados televisión a color, radio cassette estereofónico y cama plegable para…

TEODORA: Eres un volcán de envidia… Un cráter arrojando celos sin tregua. Pero, ahora, te jorobas, Marilinda…

MARILINDA: Soy la mujer más "pop" de la ciudad… No me vengas con tangazos.

CASIMIRO: ¿Qué sientes cuando te beso, Gisela?

(Suena un piano; brota un preludio de Chopin.)

GISELA: Una descompensación sicosomática producida por un bloqueo emocional...

CASIMIRO: Cómo hablas, amor mío.

GISELA: Huyo de ser una inhibida, reprimida y frígida. Puedes hacer de mi cuerpo un pozo de gozo.

CASIMIRO: Cuando te vislumbré por primera vez y capté tus bellos complejos, tus maravillosos traumas, tu vida conflictiva y tus desequilibrios inconscientes, sentí en mi joven sangre de sicoterapeuta un fuego difícil de apagar.

GISELA: Estoy sedienta de ti...

CASIMIRO: No me tientes.

GISELA: Mira que me tienes loca...

CASIMIRO: Gisela, no me tientes...

GISELA: Mis traviesos senos palpitan...

CASIMIRO: La sicosis erótica del celtíbero...

GISELA: Palpitan de sicocalenturitis.

CASIMIRO: ¡Tú ganas!

GISELA: *(Volcada sobre él.)* Solamente tuya...

CASIMIRO: Dime tu última pesadilla.

GISELA: ¡Guarro!

(Se oye una música fúnebre; tal vez un réquiem. Surge una pareja de funerarios, altos y enlutados. Llevan un ataúd sobre los hombros.)

FUNERARIO I: ¿El difunto?

   (Parálisis colectiva.)

PABLO: El difunto al hoyo y el vivo al...

FUNERARIO II: ¡Sus huesos!

RULFO: Todavía no está difunto.

FUNERARIO I: ¿Ves, compadre? Lo que siempre dije... *(Un silencio de cementerio.)* En estos turbulentos tiempos que corren... ya no aguardan a que el fiambre haga testamento...

MIRILINDA: Pónganse cómodos y esperen...

FUNERARIO I: Pues nos sentamos... ¿No, tú?

FUNERARIO II: ¡Psché!

   (Se sientan en sendos divanes, y Teodora se cuelga la bandeja y canturrea, paseándose.)

TEODORA: ¿Cigarrillos turcos? ¿Güsqui escocés? ¿Peladillas de Liria? ¿Aguacates andaluces? ¿Tintorro riojano? ¿Chicle americano?

FUNERARIO I: ¡Venga ese tintorro! ¿No, tú? *(Pausa fúnebre.)* ¿Y qué hacen esos quijotes?

TEODORA: Matarse.

PABLO: Escabeche, voy a quitarte el pellejo y, sin embargo, tu jeta me recuerda a alguien...

ESCABECHE: Todos a la hora de diñarla... recordamos a alguien...

RULFO: ¡Eh!

   (Rulfo mira con terror el féretro a sus pies.)

Rulfo: ¿No tienen otro sitio donde dejar esa porquería?

Funerario I: Compadre, retira la caja. El señor es supersticioso.

> *(El Funerario II arrastra el ataúd, observando cómo se encogen las figurillas cada vez que el féretro roza sus pies.)*

Rulfo: ¡No, hombre! A la izquierda, no...

> *(Obedece el Funerario II.)*

Pablo: Insisto en que tu cráneo me es muy... *(Arroja la espada de súbito.)* ¡Arturo!

Marilinda: ¿Qué Arturo...?

Pablo: Tú eres Arturo, de Villaloreto del Pinar...

Escabeche: ¡Carajo! Tú eres Pablito, el hijo del zapatero remendón...

Pablo: ¡Arturo!

> *(Se abrazan.)*

Marilinda: ¡No! Si aún serán bisexuales...

Funerario I: Oye, viejo, mi parienta me espera para cenar...

Funerario II: ¿Y nos vamos a ir sin...?

Funerario I: ¿Qué te parece si atrapamos uno al azar? Estos riquillos no estiran la pata porque sí...

Funerario II: ¿Y si alborota en la caja y arma la de Dios en la fosa?

FUNERARIO I: Mi costilla ya sabes el genio que se cuece...

FUNERARIO II: Allá tú.

(Dejan de beber vino y se alzan.)

PABLO: ¿Te acuerdas, Arturito, cuando nos sorprendió el guarda comiéndonos una sandía en un maizal?

ESCABECHE: ¡Caramba si me acuerdo! Pues no corrimos ni ná...

PABLO: ¿Y recuerdas al cacique del pueblo? ¿Al señorito latifundista que pagaba jornales de seis pesetas?

ESCABECHE: Explotaba y lo bendecían... Chupaba la sangre y presidía luego santas procesiones...

FUNERARIO I: Los señores de la muy noble clase social nos van a perdonar, pero unos servidores somos pobres asalariados...

MARILINDA: ¡Y quién como ustedes, jovenazos! La quintaesencia del puro pueblo... *(Roja de inspiración.)* ¡Vengan! ¡Vengan por acá! *(Agrupa a la concurrencia. Cuchicheos y conspiraciones de los espantajos.)*

TODOS: Pero, ¿tú crees?, ¿tú crees...?

(Brinca Marilinda a una mesa. Se suelta la cabellera; se arremanga un brazo, y con una greña danzándole por la cara y, en grotesca actitud guerrillera, exclama.)

MARILINDA: Es mejor beber champaña de pie que Coca-Cola de rodillas...

Todos: ¡Marquesa Marilinda!

Marilinda: En estos traidores vientos que soplan...
todo es posible y no sólo en la Alhambra mora
de Granada... *(Grandilocuente.)* Y si por la América hispana el poder vira a la izquierda y luego
a la derecha... ¿Por qué, pregunta Marilinda,
nuestro selectísimo estamento no puede virar
hacia la jota?

> *(Gisela emite un gritito y vuela hacia la pia-*
> *nola. Pronto el salón se inunda de música*
> *de guitarras, bandurrias y acompañamiento*
> *rítmico de castañuelas. El Funerario I, con*
> *voz de barítono, entona una copla. Se desata*
> *el júbilo. Todos bailan como marionetas.)*

Rulfo: Señores... *(Salta a la mesa, desplazando a*
Marilinda, que se une al jolgorio.) He aquí una
hermosa comunicación entre la Sociedad de
Bienestar y la Sociedad de Malestar... y todo sin
Onus, Otans, Ginebras, Hayas ni cámaras de
Eurovisión... *(Pausa demagógica.)* Y yo pregun-
to: ¿Qué opina usted, doctor Faus?

Casimiro: Como no entra el discurso en el campo
de la siquiatría, me inhibo.

Rulfo: ¿Y usted, Paul Verlaine?

Pablo: Mis opiniones sobre el porvenir histórico
cuestan un riñón, y usted, perdóneme, es más
avaro que el avaro de Molière.

> *(Teodora ocupa la mesa y de un patadón*
> *retira a Rulfo.)*

Teodora: ¡Oídme a mí!

Todos: Te oímos, Teodora, porque los billetes de banco el intelecto te doran.

Teodora: La crisis mundial es fruto de la incomunicación entre los pueblos sin pan y los países con caviar. De ahí que en este palacete se ofrezca una lección de cómo debe establecerse un diálogo entre los que no tienen ni madre y los que la tienen en yates por el Mediterráneo. Y este puente musical de entendimiento... se llama ¡jota!

(Palaciegas reverencias unidas a plebeyos saludos. Los monigotes silban y aplauden.)

Rulfo: Échate a un lado, Teodora... *(Se encarama a la mesa y, entre bufón y caricaturesco, berrea.)* Y yo como hombre de mi tiempo, y no como hombre del tiempo, sugiero y propongo un cálido homenaje a dos simpáticos funerarios, entre el ritmo cordial y popular de la jotísima jota...

(Se oye con fuerza una jota. Los fantoches bailan hasta reventar. Luego la voluptuosa Gisela suelta un alarido y extrae un porrón.)

Gisela: ¡El porrón!

(Crece el guirigay.)

Teodora: La popular fiesta continúa, señores.

Funerario I: Oye, compadre: ¿te fijaste en las tetazas de la Gisela?

Funerario II: ¡Madre de mi alma! Ganas dan de colarse con ese par de melones en un féretro.

Rulfo: Damas y caballeros... *(Pausa política.)* La vieja Europa debiera saber que lo que no puede la CIA, lo puede un porrón de sangría.

(Aplausos. Corre el porrón de mano en mano. En medio del vibrar de la jota, Gisela se encarama a la mesa y, a trago limpio, exclama.)

GISELA: El Zar y la Zarina de todas las Rusias, Luis XVI y María Antonieta, valga el ejemplo, por desconocer el diálogo de la jota se fueron a la mierda.

PABLO: Señorita, de su boca de rosa salió una horripilante cosa.

GISELA: Mil disculpas a esa dama llamada Poesía. *(Ebria.)* Y ahora propongo, ¡hip!, tal como exige la moral encantadora, ¡hip!, cerrar el homenaje popular, ¡hip!, llevándose cada cual, ¡hip!, un funerario a su cueva, ¡hip!

(El Funerario I alza a Gisela en volandas.)

TODOS: Si nos erotizamos, caeremos en pecado.

CASIMIRO: ¡Oiga! Si palpa las tetillas de Gisela… complejos y traumas le revelo, profesional de calaveras.

(Le hurta a Gisela.)

TEODORA: En estos tiempos de populares exaltaciones… una imagen de comuna puede resultar oportuna.

(Teodora enfoca a los reunidos con la máquina de fotografiar. Exhibición dental, foto al canto y jolgorio a granel.)

FUNERARIO I: ¡Joder qué hora! *(Pausa.)* Nos van a disculpar los señorones, pero ya dijimos que somos asalariados…

FUNERARIO II: Con una ridícula comisión por difunto...

TEODORA: Adoro a los marginados ...

GISELA: ¡Qué mal educada eres, mami! Deja al explotado su derecho a la queja...

FUNERARIO I: Para mal de males, el índice de mortalidad disminuye...

FUNERARIO II: Merced a la cirugía, la geriatría y los antibióticos.

FUNERARIO I: Luchamos contra la ciencia...

FUNERARIO II: Luchamos contra la razón.

FUNERARIOS: ¡Estamos a dos velas!

FUNERARIO I: Todo hijo de vecino quiere vivir.

FUNERARIO II: ¡Vividores!

FUNERARIO I: Y aunque la vanguardia del pensamiento denuncia cómo el gran merengue de la vida lo saborean unos pocos...

FUNERARIO II: Nadie quiere irse a la fosa.

FUNERARIOS: Qué irracional resistencia.

(Se cargan el ataúd al hombro y danzan.)

FUNERARIOS: Somos funerarios
                 sin porvenir...
                 Lo óptimo y cuerdo
                 es dimitir...
                 Arrojar el luto
                 del vestir...
                 Y marchar a luchar

como un Che,
para que cada quién
su muerto entierre él,
y en solidaridad
sólo se aceptarán
cementerios de igualdad.
¡Fuera mausoleos!
¡Fuera panteones!
Tumbas sencillas
para los hombres.

TODOS: ¡Bravo! ¡Muy bien! ¡Bravísimo!

(Dejan los Funerarios el féretro en tierra y saludan.)

FUNERARIO I: ¡Gracias! ¡Muy agradecidos! ¡Gracias! *(Pausa.)* ¡Saluda!

FUNERARIO II: *(Saludando.)* Nos ruborizan... Nos abruman...

FUNERARIO I: Pero es el caso...

FUNERARIO II: Que vinimos por uno de ustedes.

(Mortal palidez en los rostros.)

FUNERARIO I: Y el ataúd pesa lo suyo...

FUNERARIO II: Y no vamos a irnos con la caja vacía.

RULFO: ¡Fuera de aquí!

TEODORA: O les echaremos los perros...

MARILINDA: Avisa al coche patrulla, Gisela, muñeca.

FUNERARIOS: Dijeron... ¿Policía?

(Se miran de hito en hito.)

FUNERARIO I: Un poco de formalidad con los funerarios.

FUNERARIO II: Que nosotros respetamos a la aristocracia.

FUNERARIO I: Pero una cosa es respetar y otra jorobar.

FUNERARIO II: Exigimos solidaridad con los hombres a jornal. *(Pausa reivindicadora.)*

MARILINDA: ¡Oh! Estas hormiguitas despúes de todo... claman justicia social... Y me parecen justas sus reivindicaciones... *(Pausa oportunista.)* Señores, la marquesa Marilinda, conocida familiarmente como la Dulcinea de los yates de recreo... está con ustedes.

FUNERARIO I: ¡Gracias, guapetona!

FUNERARIO II: Te hacemos un sitio...

PABLO: La poesía sólo tiene utilidad pública cuando está al servicio de la mayoría oprimida. *(Pausa.)* Yo, Paul Verlaine, estoy con los funerarios...

(Se une a Marilinda.)

RULFO: ¿Pero qué verbena es ésta? ¿Quieren dejarme como un vil reaccionario? Cierto que soy conservador, pero cuando lo pide la Patria, sé donde debo estar. *(Pausa.)* Cuenten con un servidor.

(Se cambia la chaqueta y se integra al grupo de las fuerzas proletarias.)

TEODORA: En fin... Una se dio la dolce vita, pero, ¡eso sí!, gozó desalienada, identificada emocionalmente con los de abajo... ¡Sitio, por favor!

(Le hacen hueco.)

GISELA: ¿Soy una decadente joven que tiembla ante soplos revolucionarios? ¡Soy toda pueblo!...

(Se integra en la mayoría agrupada.)

CASIMIRO: Gisela... si me dejas solito... ¿quién te acariciará el ombliguito?

GISELA: *(Seca.)* Doctor Faus, ¿estás con el que produce o con el que lo recoge?

CASIMIRO: Científicamente... con el que me necesita.

GISELA: Casimiro, Casimirón no te hagas el remolón.

CASIMIRO: Ideológicamente... con los que están con una mano atrás y otra delante.

(Las miradas se clavan en Escabeche.)

ESCABECHE: ¡Ah! Yo estoy...

MARILINDA: ¡No! Tú no puedes estar...

ESCABECHE: Marilinda, amita mía.

MARILINDA: Alguien debe ser el culpable, la víctima o el fiambre. Qué más da.

ESCABECHE: Pero si soy un hijo del pueblo...

MARILINDA: ¡No lo oigan! Es un burgués hasta los pies. Siempre soñó nadar a solas en una isla de su propiedad. Y gozar de un millón de esclavos. Leyó el libro rojo de Mao y lo mandó teñir de azul. Leyó *El capital* y tachó sus líneas con un grueso lápiz de carbón. Hojeó el diario del Che y luego hizo una fogata con él. Es la decadencia de Occidente. ¡Reaccionario!

ESCABECHE: *(Llorón.)* Pero si soy de Villaloreto del Pinar... y pasé más hambre que un hindú en la guerra y en la posguerra.

TODOS: ¡Reaccionario!

ESCABECHE: ¿No ven mis flacas piernas? ¿Mi joroba? ¿Mi raquitismo?

TODOS: ¡Reaccionario!

MARILINDA: Señores... la mercancía es suya.

(Acondicionan los Funerarios el ataúd.)

ESCABECHE: Tanta hambre, tanta hambre pasé que me clareo...

MARILINDA: Descálcenlo... Sus zapatos son de piel de cocodrilo y me costaron un ojo de la cara...

(Retrocede Escabeche; dos siluetas fantasmales lo cercan.)

ESCABECHE: ¡No enterrarán mi esqueleto! ¿Oyeron?

PABLO: ¡Oh, Escabeche! Gracias a tus funerales obtendré una fuente de réquiems de la era atómica...

TODOS: ¡Agoniza en paz!

ESCABECHE: No coléis a un vivo en el féretro...

(Huye. Es atrapado por los Funerarios, y en volandas lo introducen en la caja.)

FUNERARIO I: Distinguidos clientes, ¿alguna dedicatoria en especial?

MARILINDA: ¡Poeta!

(Pablo adelanta un pie hacia el ataúd.)

PABLO: Aquí yace un héroe popular: Arturo, oriundo de Villaloreto del Pinar, conocido entre sus deudos por Escabeche.

MARILINDA: ¡Más epitafio! Yo pago.

PABLO: ¿En billetazos de mil o de cinco mil?

MARILINDA: Pagaré en joyas.

PABLO: ¿Y por qué no en cheques de gasolina?

MARILINDA: Entonces pagaré con un aguafuerte de Goya.

ESCABECHE: ¡Hijos de la putería!

PABLO: Prefiero una miniatura de Sorolla.

MARILINDA: Cederé un solar ubicado en el casco urbano.

ESCABECHE: ¡Peste de burdel!

PABLO: Cobraré en moneda extranjera... ¡Oh, yes!

MARILINDA: ¿Y por qué no en moneda celtíbera?

ESCABECHE: ¡Atajo de meretrices!

PABLO: Págueme con naranjas, pomelos y mandarinas.

MARILINDA: ¿Y por qué no con cien barcas de sardinas?

ESCABECHE: ¡Descendientes de busconas!

MARILINDA: ¡Bua! Le pagaré con sellos de correos.

PABLO: ¡Cobraré en pesetolas!

MARILINDA: Usted gana. Más epitafio. Quiero para Escabeche una sepultura muy pop.

ESCABECHE: ¡Vampiros!

PABLO: Polvo fue y polvo es quien aquí sus huesos reposa.

MARILINDA: ¡Más epitafio!

PABLO: Aquí yace Arturo: una ola de valor, un huracán de solidaridad, un alto valor como cónyuge, amigo y ciudadano.

TODOS: ¡Descansa en paz!

PABLO: ¡Putos!

FUNERARIO II: ¿Y en la cinta de la corona?

TEODORA: Hable, Paul Verlaine.

PABLO: El pueblo no te olvida.

ESCABECHE: ¡Alimañas!

MARILINDA: Pobre Escabeche... ¡Hijo de mi corazón!

FUNERARIO I: ¿Algo más?

MARILINDA: No puedo gemir. La procesión va por dentro...

(Salen los Funerarios con el ataúd en hombros)

RULFO: Fue un proletario ejemplar.

MARILINDA: ¡Ay! Ya estoy atrapada en las redes de la viudez. Y ahora... ¿qué? ¿Al convento o a Acapulco?

TEODORA: En el medievo, con tanta catedralota gótica, yo te diría: Marquesa Marilinda, reclúyete en una celda de clausura...

RULFO: ¿Y en esta época de aeronaves espaciales y trasplantes de riñón?

TEODORA: Vete a Acapulco, hija. ¡Vete a México!

MARILINDA: Quebrada por el dolor, rota el alma y el espíritu de luto, parto a las tropicales playas de Acapulco... ¡Arrivederci!

GISELA: ¡Adiós, marquesa!

RULFO: ¡Buen viaje, linda Marilinda!

TODOS: Y feliz y refrescante crucero.

TEODORA: Cuando pises con tus aristocráticos pies las playas de fuego de Acapulco, envía una postal redactada y rubricada con tus lindos dedos...

(Sale Marilinda.)

GISELA: Se va con la cruz de la viudez a cuestas...

TEODORA: ¡Bah! No había ni chispa de tragedia en su ajada tez de alcahueta.

MARILINDA: (Entrando.) Teodora, ¿cuánto pides por esto...?

TEODORA: ¿Por Paul Verlaine?

MARILINDA: Me sentiría menos desamparada en Acapulco.

TEODORA: ¡Ja! La moda es mía este año. Me per-te-ne-ce.

MARILINDA: Soltaría un millón.

RULFO: Un millón de billetitos made in Spain.

MARILINDA: Un millón de billetazos made in U.S.A.

(Trota por el escenario un silencio bancario.)

TEODORA: Paul Verlaine... En la bahía de Acapulco quiere oír tu lira.

MARILINDA: *(Firmando un cheque.)* ¡Queridaaa!

TEODORA: *(Camuflando el talón entre sus abultados senos.)* Marilinda, tuyo es el totem del año.

PABLO: Qué diría el arte y la cultura si yo...

MARILINDA: *(Colgándose de su brazo.)* Sin remordimientos, Paul Verlaine. Un yate de lujo por el Océano Pacífico endulzará tu canto.

(Marilinda arrastra a Pablo hacia la salida.)

RULFO: Es mejor así, compungida Teodora. Un poeta en la mansión hoy es un problemón. Cantan más a las flores de la evolución que a las orquídeas.

TEODORA: ¡Ay! Se fue...

GISELA: Casimiro...

CASIMIRO: Toda frustración pone alerta a los feroces guardianes del yo...

GISELA: Mamá...

TEODORA: *(Pescando el cheque del fondo del escote.)* ¡Y que por un papel me haya quedado sin Paul Verlaine! *(Atónita.)* Casi rimo...

RULFO: Y eso que el poetastro partió al trópico del ligue... Si no a esta desventurada me la hace poetisa...

TEODORA: *(Ofreciendo el talón a Rulfo.)* Ingrésalo en el banco y ojo con el despilfarro, porque te dejo manco... ¡Oh, rozo la rima! *(Transfigurada.)* Marilinda, te lo mereciste, en tu árbol genealógico hay un duque.

RULFO: ¿Y el abolengo de tu abuelo?

TEODORA: No me nombres a mi abuelo, que fue chatarrero.

GISELA: ¡Ay! No puedo oírlo ni creerlo...

TEODORA: Fue el rey de la chatarra, y en la lucha por la vida exhibió dos colosales... cucharas.

CASIMIRO: ¡Diablos! ¿Y ese escudo de armas que habla en la pared de gloria y fama?

TEODORA: Rulfo lo compró a una duquesa arruinada.

CASIMIRO: ¿Qué lema tienen ustedes? ¿Un engaño por año?... *(Deambula, apesadumbrado.)* ¡Gisela! *(La toma, con gesto de deshonra, entre sus brazos.)* ¿Por qué ocultaste a este brujito del inconsciente que eras chatarrera?

GISELA: Tuyo es mi complejo de Electra si no me dejas.

CASIMIRO: Por los mandarines del sicoanálisis! ¡Eso cambia la verbena!

(Se abrazan, besan y pellizcan.)

TEODORA: ¡No hay mal que por bien no venga! Y un titulillo de siquíatra cayó en nuestra faltriquera.

CASIMIRO: (Yendo hacia la puerta.) Vuelo a sicoanalizar a un tipo que pregona que para liberarse hay que tener la cuenta bancaria sin saldo...

(Sale.)

TEODORA: Qué época tan extraña.

RULFO: La época la fabricamos nosotros. ¡No jorobes!

GISELA: Seguro que Z-1 bosteza de tedio tumbado en la hamaca...

(Entra en la cocina.)

TEODORA: Me aguijonea el abejón de la inestabilidad... Y siento nostalgia...

RULFO: Los demonios de la libertad nos acechan...

GISELA: (Desde la cocina.) Sé que me deseas, Z-1. Sé que darías una célula de tu cerebro fotoatómico para estrecharme desnuda entre tus brazos de acero...

(Otra vez los invisibles personajillos surgen y hacen de las suyas sobre el escenario: el Color gris, el Sopor y el Sueño dan un toque de guiñol a la escena. Luego crece una intensa luz blanca, y Rulfo y Teodora se hu-

manizan y se balancean en sus níveas mece-
doras.)

TEODORA: *(Abanicándose con gestos desmesurados.)*
¿Qué es nuestra vida?

RULFO: *(Abanicándose a su vez.)* ¡Vaya interro-
gante!

TEODORA: ¿Cuál es nuestra realidad?

RULFO: ¡Vaya cuestión!

TEODORA: ¿Seguiremos con nuestros privilegios,
Rulfo?

RULFO: ¡Teodora! ¡Teodora!

TEODORA: El cambio histórico me ha sacado de
madre... Habrá que echarse a la calle y mez-
clarse con las masas para votar... Y yo no sé
votar, tú lo sabes, mi amor, yo no sé votar. Y
nos obligarán... *(Pausa tradicional.)* Ahora nos
pasaremos la vida entre mítines, votos y elecciones... ¡Qué horror!

RULFO: ¡Ea! No te angusties más.

TEODORA: *(Sobrecogida.)* ¡Rulfo!

RULFO: Teodorita...

TEODORA: Oí un rumor... Tal vez ronquidos... A
lo mejor, Rulfo, hay un vagabundo roncando en
el césped del jardín...

RULFO: Fantasías, Teodora. Puras fantasías.

TEODORA: ¡Sal al jardín, por favor! ¡Sal al jardín!

RULFO: Bien, tú ganas, salgo...

   (Rulfo desaparece.)

GISELA: *(Su voz.)* Z-1, amor mío, no más, no más...
   ¡Ah, cómo enloqueces! Eres el macho electrónico ideal... ¡Ah! ¡Ah! Resistente, eternamente
   erecto... Irrepetible.

TEODORA: Estoy persuadida de que un desconocido
   duerme en el jardín...

RULFO: *(Surgiendo con cara de circunstancias.)* Ni
   un alma, Teodorita...

TEODORA: Me rodea el vértigo... Tal vez una música... un vals me calmaría... ¡Sí! ¡Eso es! Un
   vals... mi Vals de las olas...

   *(Se desplaza Teodora al tocadiscos automá-
   tico, conectándolo. Luego la pareja se abraza
   lista para bailar, mientras se insinúa el ritmo
   de una jota.)*

RULFO: ¡Eh!

TEODORA: ¡Bandidos! Alguien manipuló el toca-
   discos...

   (Se dispone a variar la música.)

RULFO: ¡Espera! Debió ser Paul Verlaine...

TEODORA: ¿Y...?

   (La pareja se observa con estupor.)

Rulfo: Los bardos y el futuro casi siempre suelen
   ir de la mano...

Teodora: Siendo así...

> *(Rulfo y Teodora bailan cual marionetas*
> *bajo los fortísimos acordes de la jota.)*

T E L Ó N

LA IRA Y EL EXTASIS

Dos actos

Personajes:

EULALIO
ROSA COHEN

ACTO PRIMERO

Con la escena a oscuras, se desata el delirio del público, a base de aplausos, silbidos, "bravos", mientras fanáticas voces reclaman a coro la presencia de Rosa Cohen. Ahora un foco persigue a la diva, cuya majestuosa figura sostiene un ramo de gladiolos, que dificultan sus reverencias al público. Oscuridad. Retumba el pitido de un tren sobre el escenario, ya iluminado y con Eulalio tecleando su máquina de escribir. Parece absorto el hombre, exiliado de su rutinaria labor, como si soñara en alados trenes que surcan el espacio rumbo a otros mundos. Se le escapa un suspiro. Extrae de súbito el rojo clavel del vaso y, con los párpados bajados, aspira su fragancia. Una voz que brota por el altavoz le mueve a soltar la flor y golpear las teclas.

Voz: ...la dirección está alarmada con los informes que llegan de su jefe de Sección... Cada vez son más notorias sus negligencias... ¡Deje de hacer un safari tras otro con la imaginación y regrese a la labor asignada! Usted siempre resplandeció como un funcionario modelo... y la Compañía

de Ferrocarriles había depositado en su porvenir
la más...

*(El ruido de una locomotora ahoga las últi-
mas palabras. Oscuridad. Un reflector ilumina el aposento de Eulalio, así como las paredes empapeladas de fotos, recortes de prensa
y algún que otro poster de Rosa Cohen.
También junto al camastro se apiña un fajo
de revistas y periódicos, listos para examinar
y recortar. Mientras Eulalio esgrime las tijeras, se oye la voz del televisor.)*

Voz: ...sí, queridos telespectadores, el Teatro Nacional era una fiesta, según noticias recibidas de
la France Press. Una y otra vez volaba por los
aires el telón entre los aplausos del público, incluso se estremecieron las aguas del Támesis y hasta
la cúpula de la catedral de San Pablo osciló con-
movida. Mientras, una lluvia de flores caía sobre
Rosa Cohen, ese Cisne de la escena, que cautivó
con su arte interpretativo...

*(Deja Eulalio sus rituales tijeretazos para
avanzar con faz embelesada hacia el televisor. Oscuridad. Un foco estalla sobre Rosa
Cohen, cuyo abrigo de visón deslumbra a
sus seguidores. Centellean los flashes de ca-
muflados reporteros bajo enervantes gritos.
Eulalio, de puntillas sobre una butaca, agita
el sombrerito hongo, luego arranca el clavel
rojo de la solapa, arrojándolo al paso de la
estrella. Un silencio. Al pequeño espectador
lo han dejado solo. Por algún lado, entre
bambalinas, fluye un violín. Eulalio es ahora
una sonrisa de nostalgia. Concluye por sus-*

pirar, agacharse y recoger el pisoteado clavel,
cuyos pétalos acaricia. Oscuridad. Echado en
el catre, Eulalio surge al resplandor de un
foco. Se perfila en mangas de camisa, cor-
bata y sombrero sobre la testa. Está abisma-
do en seleccionar fotos y reportajes de la
Cohen. Su semblante es un espejo que refleja
las emociones que provoca tal ocupación.
Por el televisor emerge la voz del locutor.)

Voz: ...una interpretación de alta escuela, donde
nuestra primerísima actriz evidenció que una Sara
Bernhardt con personal estilo acaba de nacer
para las artes escénicas...

(A toda velocidad Eulalio se ciñe el traje
gris marengo, prende el clavel rojo en el ojal
de la americana, se otea en el espejo de la
pared con fugacidad y sale. Oscuridad. Las
luces advierten el instante en que Eulalio
golpea con los nudillos en la puerta de un
camerino, ramillete de margaritas en mano.
Se entreabre la puerta y asoman unas ma-
nazas que le arrebatan las flores. Eulalio se
petrifica en el umbral con el corazón dándole
tumbos; se oyen carraspeos en el interior
del camerino. Sonríe Eulalio y se arriesga a
franquearlo. Al instante sale por los aires,
yendo a dar con las narices en tierra. Eulalio,
con gesto dolorido, cabecea entre sorpren-
dido y espantado. A continuación el ramo
de margaritas se estrella contra su cabeza.
La ira de Rosa Cohen se deja pronto oír.)

ROSA COHEN: *(Su voz.)* ¡Es el colmo! Cuando estoy
esperando de un momento a otro la visita de un

rey árabe del petróleo…, me viene este pendejo
con sus mezquinas margaritas… ¡Todavía pululan por la vida ridículos esquizofrénicos…! *(So-
segándose.)* La próxima vez, muchachos, rómpan-
le el espinazo… A ver si se le ilumina el seso y
se entera de que una musa de la escena no puede
codearse con pelagatos…

> *(Brota el violín. A Eulalio se le van los ojos
> tras las flores desperdigadas. Palpándose los
> huesos, culebrea por tierra hasta formar de
> nuevo el ramo. Se alza y en una tarjetita
> redacta unas líneas. Más tarde deposita lo
> escrito y el ramillete junto al camerino de la
> Cohen y se aleja cojeando. Oscuridad. El
> violín evoca el transcurrir del tiempo. Un
> reflector enfoca el escritorio de Eulalio, que
> está encorvado sobre la vieja Olivetti. Hay
> nieve en sus sienes y escasos pelos en el crá-
> neo. Su pensamiento discurre por el altavoz.)*

EULALIO: Bien, querido funcionario de ferrocarriles,
falta escaso tiempo para tu jubilación… *(Pausa.)*
¿Se te puede preguntar en qué gastaste tus años,
tu vida, tu ser…? ¿Fundaste un hogar? ¿Dónde
está tu compañera en lo amable y en lo difícil?
¿Por dónde andan tus hijos? ¿O acaso sigues
enamorado de ese arco iris de la escena, al cual
sólo te es permitido ver a distancia o en foto-
grafías…? ¿Te parece, viejo, que hagamos un
balance existencial de tu historia? Será mejor no
emprender esa travesía…, tu integridad saldrá
beneficiada. *(Oscuridad. Ya con luz se advierte
a Eulalio en su alcoba, explorando un poster de
Rosa Cohen en bikini. Un ramalazo de pesa-
dumbre lo arroja sobre el lecho. Eulalio lucha*

*contra su desaliento y de súbito se lanza sobre
una montaña de revistas, a las que hojea a ritmo
desenfrenado.)*

EULALIO: Nada… *(tira la revista al suelo con rabia.)*
¡Nada! *(Igual.)* En esta simplona revista ni una
letra… *(La estruja.)* ¡Y aquí, no…! ¡Y en ésa
tampoco!… Llevan años sin publicar una simple
nota sobre Rosa… ¡Cabrones periodistas!…
¿Qué titánico esfuerzo supone escribir el nombre
más bello de la tierra? Ro-sa Co-hen… Hasta un
niño de teta sabría hacerlo…

*(Ofuscado, Eulalio se entierra entre el mon-
tículo de papel, leyéndolo otra vez con exas-
peración. En un rapto de cólera, rasga
revista tras revista con talante sádico, y
cuando parecía sosegado la emprende a pu-
ñetazos contra el papel impreso. Todo el
cuarto flota de páginas rasgadas, entre las
carcajadas de Eulalio que danza como un
lunático pugilista, ferozmente jubiloso de
golpear una y otra vez el papel. La fatiga
lo derrumba sobre las revistas y por azar sus
ojos son hipnotizados por unos titulares. La
ávida lectura de Eulalio es recogida por el
altavoz.)*

EULALIO: *(Su voz.)* …cuando en plena madrugada
el vigilante del Club Oasis Azul se disponía a
cerrar, tropezó con el cuerpo de una mujer que
dormitaba junto a unos cubos de basura… Pese
a los enconados esfuerzos por camuflar la personalidad de la beoda… fuentes fidedignas sospe-
chan que bien podría tratarse de…

(Un silencio. Eulalio se esconde entre el papel. Luego sale de su escondrijo y la emprende a patadas contra las revistas y diarios, aullando.)

EULALIO: ¡No! ¡No!... ¡No!... Sucias calumnias... Asquerosas difamaciones... ¡Rosa Cohen, no!... *(Destruyendo sin pausa.)* Aunque hayan pasado tantos años... Aunque siga soltero aguardando su... ¡Infamias! ¡Falsos reporteros de Satanás!... Pero yo, je, je... *(Coge una lata de gasolina y riega de combustible el aposento.)* Será el incendio más célebre del siglo... Je. Je. Hay que purificarse de tanta inmundicia... Je. Je. *(Pausa.)* Lamentarán esta infamia... *(Prende un fósforo.)* Una hoguera para cada injusticia... Je. Je. Pasaré a la Historia como el Incendiario Justiciero... Je. Je. *(Transfigurado.)* Se arrepentirán... Rosa Cohen no puede estar tirada en una acera, ebria de alcohol, igual que una vieja prostituta... ¡No! *(Apaga otra cerilla y platica con una revista.)* Por favor... no digan esas cosas... Es... Es... Rosa... la bella Rosa, la divina Cohen... ¿No se dan cuenta?

(Solloza. Gradualmente Eulalio cesa de gemir y como un extraño don Quijote deambula junto a las paredes, absorto en las imágenes de Rosa Cohen, acariciándola con los dedos y besándola platónicamente. Oscuridad. Un pertinaz reflector sorprende a Eulalio, embutido en su traje gris marengo y con el sombrero hongo en la mano. Pulsa el timbre de una puerta.)

ROSA COHEN: *(Su voz.)* ¿Quién llama?

EULALIO: Yo.

ROSA COHEN: ¿Y quién diablos es yo?

EULALIO: Soy... el admirador número uno.

ROSA COHEN: *(Saliendo en bata, pálida y decrépita.)* ¿Admirador de quién?

EULALIO: ¡De quién va a ser!... ¡De Rosa Cohen!

ROSA COHEN: La Cohen ha muerto.

EULALIO: ¡Dios mío!

ROSA COHEN: Ahora... ¡Ahueque el ala!

EULALIO: Yo...

ROSA COHEN: *(Mordaz.)* Usted...

EULALIO: *(Oteando el clavel)* Venía a traerle un clavel rojo...

ROSA COHEN: *(Abriendo la puerta que cerró.)* ¿Un clavel rojo? ¿Habla en serio? No creo que en este siglo queden hombres ofreciendo un clavel rojo por las puertas...

EULALIO: *(Exhibiéndolo.)* ¿Es... o no es un clavel...?

ROSA COHEN: Usted... usted vendrá a robar... a violar... a manipular... a explotar... pero no a traer un clavel...

EULALIO: Yo... Yo sólo traía una flor a Rosa Cohen... *(Enjuga una lágrima.)*

ROSA COHEN: ¿Una flor a Rosa Cohen?

EULALIO: ¡Ajá!

Rosa Cohen: Mejor debió traerle una corona mortuoria...

Eulalio: No puedo creer lo que dice...

Rosa Cohen: ¿Quién es usted?

Eulalio: ¿Es cierto que Rosa Cohen ha muerto?

Rosa Cohen: ¡Eso quisieran! Pero Rosa Cohen vive. ¿Se entera? ¿Se entera, repartidor anónimo de claveles? ¡Vive!

Eulalio: ¿De veras? ¡Oh, es maravilloso! Vive. Fabuloso. Ja. Ja. Ja. Rosa... vive. Ja. Ja. Ja. *(Da vueltas jubilosas.)* ¡Vive! ¡Yuuupi! Ja. Ja. *(Ruborizado, Eulalio se paraliza.)* Disculpe... disculpe... pero no pude dominar mi alegría... *(Recoge el sombrerito que arrojara por los aires.)* ¿Dónde está? Sí. ¿Dónde está Rosa Cohen?

Rosa Cohen: ¿Dónde está?

Eulalio: ¡Ajá!

Rosa Cohen: ¿Es que nació sin ojos, mentecato?

Eulalio: ¡Usted!... ¿Usted...? *(Retrocede, espantado.)* ¿Pero, pero, qué dice? ¡Menuda broma! *(Observándola con ansiedad.)* No. Usted... no puede ser... Rosa. ¡Oh, si lo sabré yo!...

Rosa Cohen: ¿Ah, no?

Eulalio: No. *(Pausa.)* Ella es... otra cosa. *(Pausa.)* Ella tenía unos ojos que eran auténticos faros... Y una tez... ¿Quiere, quiere que le hable de la cara de Rosa? ¿Sí? *(Pausa.)* Mire, señora, yo tengo una arca repleta de poemas a su inefable tez, ¿entiende? Así que no venga con bromas...

(Pausa.) ¡Adiós! *(No se mueve.)* Y en cuanto
a su pelo... ¿Usted vio un campo de trigo a la
luz de las estrellas? Pues eso, eso era el pelo de
la bella Rosa... ¡Adiós! *(No se mueve.)* ¿Y su
cuerpo? La gracia de su cuerpo era comparable
al encanto de un cisne... *(Pausa.)* Así que déjese
de cuentos chinos y... *(Pausa.)* ¿Y su voz? ¿Quiere saber cómo era su voz? Era de cristal... Como
una melodía... Y todas las heroínas que ella en-
carnaba se convertían ipso facto en personajes
de carne y hueso... *(Pausa.)* Si lo sabré yo...
(Pausa.) ¡Usted es Rosa Cohen! *(Cadavérico.)*
Usted es... Rosa... Cohen.

ROSA COHEN: Su cara me es familiar... ¿No será
usted reportero de la revista *Interviu*? ¡No!
¿Posiblemente un corresponsal del *New York
Times*? No tiene aspecto de gringo... *(Eufórica.)*
¿Le mandan del *Paris-Match*...? No le capto
tamaña categoría... *(Pausa.)* ¿Del matutino *El
País*? Tal vez... parece usted un tipo muy castellano... *(Suspirando.)* Aunque yo hubiera pre-
ferido que representara al *Times*... Se hace tan
buen teatro en Londres...

EULALIO: Yo soy... Eulalio. ¡Eso es! Eulalio...

ROSA COHEN: Si le envían de la revista *Play boy*...
dije un millón de veces que mi adorable cuerpo
no surgirá al natural en revista alguna por mu-
chos millones que...

EULALIO: Soy un jubilado funcionario de ferrocarriles...

ROSA COHEN: ¿Funcionario de ferrocarriles? ¿Y
qué tiene que ver eso con...?

EULALIO: No fue exactamente la aspiración de mi vida... *(Pausa.)* Nadie puede abrir los ojos al mundo con esa idea... *(Pausa.)* Yo tenía vocación de jefe de estación, aunque fuera destinado a una aldea... *(Pausa.)* ¿Imagina? Ver surgir a la hilera de vagones con su locomotora en cabeza, silbando como una nave espacial... Y luego... y luego yo... con uniforme y gorra roja... banderita en alto... dándole salida a ese corcel de hierro, que ruge y corre como un...

ROSA COHEN: ¿No es usted reportero?

EULALIO: Yo era quien más aplaudía en sus funciones... *(Pausa.)* A veces me dormía en la butaca... sólo alguna cabezadita... Pero nunca me iba hasta el último telón... *(Pausa.)* Entonces frecuentaba su camerino con algunas margaritas en la mano... *(Pausa.)* ¿De veras no me recuerda?

ROSA COHEN: ¡Fuera de aquí! *(Rosa se adentra en el apartamento; Eulalio la sigue.)*

EULALIO: Haga memoria, por favor. ¿No recuerda al joven de las margaritas que casi siempre era apaleado por sus gorilas? ¡Ejem!, guardaespaldas, ¡en fin!, sus íntimos, quise decir...

ROSA COHEN: ¡Está agotando mis nervios!

EULALIO: Tiene que acordarse, señora. Yo le escribí más cartas de amor que nadie... Inclusive le ponía conferencias a todas las ciudades que usted dejaba boquiabiertas... ¡Me gasté mis ahorros!

(Eulalio se vuelve los bolsillos del pantalón.)

ROSA COHEN: ¿Quiere decirme de qué jaula siquiátrica se escapó? ¿Quiere decírmelo?

EULALIO: Un día... Un día... le compuse un poema donde la llamaba flor del proscenio y yo me bauticé galán de noche... ¿De veras no leyó esos versos?

ROSA COHEN: Adiós.

EULALIO: Y aquella octavilla que decía: Dulcísima farandulera del mundo...

ROSA COHEN: Adiós.

EULALIO: ¡Aguarde! *(Pausa.)* Y ese madrigal que cantaba: Pantomímico amor irrenunciable...

ROSA COHEN: Adiós.

EULALIO: ¡Espere! Recordará al menos aquel verso suelto: Entre arlequines y marionetas un hombre del ferrocarril halló a su Dulcinea...

(A Eulalio se le enreda la lengua y se dirige a la puerta; Rosa Cohen palidece y corre hacia él, obligándolo a voltearse.)

ROSA COHEN: ¡Usted!

(Eulalio, cabizbajo, asiente con el mentón.)

ROSA COHEN: ¿Usted? *(Pausa.)* ¿Es... usted? *(Confundida.)* ¿Por qué no me dijo que era... usted?

(Eulalio se encoge de hombros.)

ROSA COHEN: ¡El testarudo de las margaritas!

EULALIO: Eran las flores más económicas... ¡Pero eso sí! La florista me vendía las más lozanas y fragantes... *(Pausa.)* ¿Y qué... me... dice... de los claveles... rojos...? ¿Eh? Me costaba cada clavel a...

ROSA COHEN: ¡El fanático del clavel rojo!

EULALIO: ¿Y las cartas, eh? Algunas volaban con inspiración al buzón de correos...

ROSA COHEN: El caballero de las epístolas...

EULALIO: *(Ronco.)* Aún está bonita.

> *(Rosa Cohen esboza un gesto de autocompasión.)*

EULALIO: Ahora es una flor...

ROSA COHEN: Ya no soy una flor.

EULALIO: ¿Cómo le diría? Es la flor de la experiencia. Y brilla de una manera...

ROSA COHEN: Rosa Cohen dejó de brillar.

EULALIO: Se equivoca. Hay un fulgor inédito en esa flor... El fulgor que una vida intensa cede a...

ROSA COHEN: No diga más mentiras.

EULALIO: Todavía... me gusta... usted.

> *(Rosa Cohen no sabe qué hacer con sus manos.)*

EULALIO: De veras.

ROSA COHEN: Deme... la mano...

> *Eulalio se la ofrece; ella la acaricia.)*

EULALIO: Los vecinos podrían pensar que... *(Pausa.)* No quisiera lastimar su reputación...

ROSA COHEN: Será mejor que entre usted...

(La sordidez del aposento impresiona a Eulalio.)

EULALIO: Es un pisito... antiguo... clásico... con estilo...

ROSA COHEN: Sentémonos...

(Lo hacen en torno a una mesa-camilla.)

EULALIO: Estos muros tienen historia... ¡Claro! ¿Y ya es algo, no?

ROSA COHEN: ¿Y bien?

EULALIO: Por esa consola en una subasta de arte le darían... lo menos...

ROSA COHEN: ¿No la habrá traído a esta casa un...?

(Es atacada por un acceso asmático. Tose. Escancia coñac de una botella. Bebe de un trago; luego sonríe.)

EULALIO: ¿Es de marca, eh?

ROSA COHEN: No hay mejor medicina.

(Pausa. Se miran en profundidad y durante un tiempo la ternura los tiene atados.)

EULALIO: Pues el motivo de mi visita... se justifica en...

ROSA COHEN: ¿Busca emplearse, no?

EULALIO: ¿Emplearme? ¿Yo? *(Pausa)* ¡Oh! ¿Cómo lo intituyó?

ROSA COHEN: Nada menos que pretende emplearse para Rosa Cohen.

(Eulalio baja la cabeza.)

ROSA COHEN: No piense que es cosa fácil...

EULALIO: Jamás lo pensé.

ROSA COHEN: Trabajar para la Cohen da fama, prestigio, incluso unas notas de prensa en Le Monde...

(Eulalio extrae la pipa, pero titubea.)

ROSA COHEN: Puede fumar.

EULALIO: *(Prendiendo la cachimba.)* Gracias.

ROSA COHEN: Dígame, ¿qué sabe hacer aparte de administrar la rentabilidad de los trenes?

EULALIO: Pues... soy muy hábil con las tijeras... ¡Eso es! Recorto artículos de prensa y fotos como nadie!... Es una tira kilométrica de años... ¿Sabe?

ROSA COHEN: *(Tosiendo y escanciando más coñac.)* ¿Y para qué diablos quiero yo a un tipo que...?

EULALIO: No sé.

ROSA COHEN: ¿Tiene talento como profesional en relaciones públicas? Al anterior le di la patada... *(Pausa.)* ¿Sabría usted representar los intereses de Rosa Cohen?

EULALIO: Pondría más empeño que nadie.

ROSA COHEN: ¿Tiene usted vicios? Ya sabe... mariguana, mujeres, bingo, ruleta...

EULALIO: *(Niega con la cabeza.)*

ROSA COHEN: ¡Bravo! Entonces... ya es usted public relation de la divina Rosa Cohen.

EULALIO: *(Tragando saliva.)* ¿Es cierto eso?

ROSA COHEN: No estoy habituada a la palabrería...

EULALIO: Comprendo. Me hago cargo. Comprendo.

ROSA COHEN: Ponga pies en polvorosa y consígame los contratos más codiciados... ¡Vivo!

(Eulalio se dirige a la puerta.)

ROSA COHEN: ¡Aguarde! Antes... debemos celebrar nuestra próspera unión artística y comercial...

> *(Se alza ella y regresa con una botella y vasos.)*

ROSA COHEN: Puede descorcharla. Es el último champán de la casa...

EULALIO: *(Frenético.)* ¡Venga ese champán!

> *(Estalla el corcho.)*

ROSA COHEN: Por la Cohen y sus flamantes relaciones públicas.

EULALIO: ¡Chin! ¡Chin!

ROSA COHEN: Esa botella la trajo un embajador francés, amigo del difunto De Gaulle...

EULALIO: ¿Y la guardó hasta hoy?

ROSA COHEN: Así es Rosa Cohen.

> *(Beben.)*

EULALIO: Una botella con leyenda... Con años, ¿eh?

ROSA COHEN: Vaya a olfatear el medio teatral y pesque lo mejor...

EULALIO: ¡Allá voy!

(Eulalio sale como un obús y regresa.)

EULALIO: ¿Y... dónde... consigo... los... contratos?

ROSA COHEN: ¿Y me lo pregunta a mí? ¡Fuera!

EULALIO: Perdón. *(Girando el sombrerito.)* Es... por la emoción. No todo el mundo tiene el honor de representar a... a...

ROSA COHEN: ¡Salga zumbando! El mundo tiene verdadera urgencia de ver a Rosa Cohen en un escenario...

EULALIO: No la defraudaré, señora. ¡Por ésta!

> *(Besa Eulalio su pulgar. Oscuridad. Trinos de pájaros. Sugerencia de un parque. Eulalio, enfundado en un abrigo y bufanda enroscada al cuello, arroja granos de arroz a las palomas.)*

EULALIO: Arroz... Arroz del bueno... ¡Maldita sea! ¿Dónde habrá que asomar la nariz para obtener un contrato a Rosa Cohen? Palomas... Palomas... ¡Menudo laberinto! ¡Arroz! Traigo arroz de calidad... ¡Eso te ocurre por entrometido! No. ¡Por ser una nulidad!... Nada menos que un contrato artístico para una moribunda... ¡Palomas! ¡Palomitas! ¿Dónde revoloteáis hoy?

> *(Esparce Eulalio el arroz; luego, deprimido, ocupa un banco del parque. Crece el piar de las aves. Eulalio trata de abofetearse, aunque se inhibe. Parpadean luces. Sólo un cenital sobre Eulalio. Por el altavoz brotan sus pensamientos.)*

EULALIO: *(Su voz.)* Y todo, absolutamente todo...
porque eres un cero a la izquierda... *(Expresión
facial de protesta.)* Bueno, ¿quién diablos eres?
(Expresión analítica.) No es verdad... Soy el espectador número uno de la estrella del siglo...
Y ser el número uno en esta sociedad competi-
tiva, en esta jungla de fieras donde todos, o casi
todos, buscan carnaza... ya es algo épico, ¿no?
(Talante eufórico.) Te engañas. *(Contrariado.)*
No me engaño, no todo ciudadano de la edad del
televisor a color puede vanagloriarse de ser Número Uno... *(Talante feliz.)* Tú... ¿número uno?
¡Ja! *(Pausa.)* Bien, no seré Número Uno en el
mundo de las ideas, en el mundo del arte, en el
mundo de la técnica, pero... *(sonríe)* en espectador de una actriz que hizo época, quiéranlo o no,
¡soy Número Uno! *(Sonrisa de autorrealiza-
ción.)* ¿Acaso insinúas, escudo de ruinas humanas, que ya no eres otro más sin rumbo ni meta?
(Eulalio oscila la testa, afirmando.) ¿Pretendes
alardear que diste con tu camino, con tu idea, con
tu quehacer fundamental? ¿Vas a tener la desfa-
chatez de blasonar que no eres uno más de los
que ignora por qué nació, creció, copuló, manipuló y se envileció *(Eulalio sigue afirmando con
la cabeza.)* Decididamente es imposible toda plá-
tica contigo... *(Faz de circunstancias.)* ¡Y no
insistas! A lo sumo eres un pequeño diletante de
una estrella fugaz, ¡pero sólo eso! *(Faz resen-
tida.)* Conforme. Has estado siempre en primera
fila ...No desperdiciaste una sola actuación de
ese arco iris de la escena... Sabes más de ella que
ella misma... ¿Y qué? ¿Ella... te ama? *(Se oye
el violín.)* ¡Vamos! ¿Te ama? *(Talante platóni-
co.)* ¿Piensas... que te amará un día? ¿Un día...

Cuándo? *(Encogimiento de hombros.)* ¿Pero estás seguro que te llegará a amar? *(Arrulla él la idea.)* Decididamente es imposible toda comunicación contigo...

(Oscuridad. Los focos captan a Rosa Cohen franqueando el pisito de Eulalio. Parpadea al descubrir las paredes repletas de imágenes suyas. Presa de excitación, Rosa Cohen hojea los fardos de revistas y periódicos amontonados por doquier. La fuerte tensión le provoca un acceso asmático. Semiasfixiada y tosiendo, se desploma sobre el camastro. Cuando cede la crisis, Roca Cohen recorre en zigzag aquel museo caótico, reflejo de su pasado esplendor. Algo después, a sus espaldas, patea el suelo Eulalio, ceniciento y rabioso.)

EULALIO: ¿Quién la autorizó a hurgar en mis cosas?

ROSA COHEN: ¡Ah! Usted... ¡Tú!

EULALIO: ¿Qué juez le dio permiso para allanar mi morada?

ROSA COHEN: ¡Amor mío!

Ella se cuelga del pescuezo de Eulalio, cubriéndolo de besos.)

EULALIO: No tenía derecho a esto... ¡No tenía!...

ROSA COHEN: ¡Oh! Mi príncipe azul...Mi galán de noche... Mi feliz caballero que me adora sin verme...

EULALIO: ¡No debió hacerme esta faena!

ROSA COHEN: *(Sentándose junto a él.)* Pero... ¿Qué
mal hay en que deseara conocer tu nido? *(Pausa.)* ¿Tanto... me has amado? *(Un silencio.)*
¿De ese modo? *(Un silencio.)* ¿Con esa entre-
ga? *(Un silencio.)* ¿Con esa limpieza? *(Un silencio.)* ¡Dios! Creo... que voy a caerme... *(Se
alza, recostándose contra un poster de la pared
donde está rutilante.)* Tenía... al amante ideal...
¡Y sin saberlo! *(Pausa.)* Fui la Dulcinea más
adorada de la tierra y sin intuirlo... *(Pausa.)* Fui
carne de lodo... creyendo que a nadie importa-
ba... y un ser etéreo me construía un museo...
(Gime.) ¿Por qué no me lo anunciaste, majadero? *(Ferozmente histérica.)* ¿Por qué no
aullaste al mundo que Rosa Cohen... era la criatura más rabiosamente amada del universo?
*(Golpeando y arañando el poster de su juven-
tud, hasta destrozarlo.)* ¿Por qué? ¿Por qué?

EULALIO: Pero... si... si me pasé... la vida... escribiendo cartas de amor.

ROSA COHEN: ¡Escribiendo! ¡Escribiendo! ¿Quién
disfruta de tiempo en esta pocilga para leer líricas
declaraciones de amor? ¿Crees que estás en el
Romanticismo? Aterrizamos en la luna, tarado.
Se fabrica la bomba de neutrones, cantamañanas.
(Enjugando lágrimas.) No, mi pequeño funcionario de ferrocarriles, no. Fuiste un absurdo con
pantalones. ¡Fallaste!

EULALIO: ¿Fallé? ¿Yo? ¿Cómo...? ¿Cómo puede
hablar de que...?

(Por la tez de ella ruedan lagrimones.)

EULALIO: Es que... no tenía ojos en la cara para advertir en sus funciones a un hombrecillo... siempre en primera fila de butacas...? ¿No podía conceder un segundo de su principal vida para captar a un modesto funcionario llevándole un ramo de margaritas o un clavel rojo...?

ROSA COHEN: ¡No! ¿Me oyes? ¡No! No tenía ojos... No podía distinguir de entre la oleada de fanáticos que me perseguían, a... *(Pausa.)* Si de veras me amabas... debieras haberlo hecho saber a cañonazos... ¡Era tu deber! Tu bastarda obligación de enamorado...

> *(Le sacude la crisis de asma. Tose. Con ojos enfebrecidos busca una botella.)*

ROSE COHEN: ¡Necesito un trago! Rápido.

EULALIO: *(Descontrolado.)* Hay una botella de leche en la cocina...

ROSA COHEN: ¿Leche, hijo de tal? Dame algo fuerte. ¡Apresúrate!

EULALIO: ¿Algo fuerte? Ya. *(Pausa.)* Debe quedar una botellita de anís... *(Pausa.)* Para los catarros... ¿Sabe?

ROSA COHEN: Apúrate.

> *(Se cuela Eulalio en la cocina, saliendo con una copa de anís. Rosa Cohen atrapa el licor, bebiéndolo de un trago.)*

EULALIO: Despacio... Sin prisas.

ROSA COHEN: Más. Sirve más.

EULALIO: Ahí va... Pero... no debiera beber de ese modo...

ROSA COHEN: ¿Te das cuenta? ¿Te cercioras? Te faltaron agallas para conquistarme...

EULALIO: No soy una fiera suelta... *(Pausa.)* Soy un apacible ciudadano... ¡Eso! Un caballero. Y respeto las frustraciones, los fracasos...

ROSA COHEN: ¡Pendejo funcionario! *(Sirve anís ella misma.)* El universo no tiene alma... Y hay que ser una mala bestia para lograr metas... ¡Es la selva del consumo, pigmeo! ¿Aún no lo captaste? *(Pausa.)* Sí, amor, Deberías haber ululado: amo a Rosa Cohen. Amo a Rosa Cohen. Y la adoro porque es un sueño, porque es un ángel. ¡Y exijo que sea mía! Antes que las patas de gallo, el reuma y la menopausia se la lleven al diablo...

(Enrarecido silencio.)

EULALIO: Lo... intenté varias veces. ¡Más! Cientos de veces. Ya lo dije. Me pasé la vida husmeando hoteles, aeropuertos, camerinos..., pero..., pero... siempre terminaba apaleado como un perro por sus gorilas...

ROSA COHEN: ¿Te dejabas apalear por mis guardianes, eh, enano masoquista?

EULALIO: ¿Qué... qué podía hacer? Medían uno noventa y eran judocas o karatecas... ¡Qué sé yo! *(Pausa.)* Lo que sí sé es que yo era un señor apacible, hipersensible y con un salario fijo al mes...

Rosa Cohen: ¡Me importan un cuerno los mosqui-
tas muertas con un salario fijo!...

*(En medio de hondo silencio, se clavan los
ojos luchando por serenarse. Eulalio sonríe,
humanizado; ella acepta y le remite la sonrisa.)*

Rosa Cohen: ¿Imagino que tendrás música de fondo para este... museo?

Eulalio: ¿Cuál prefiere? ¿O a quién...?

Rosa Cohen: Creo que un poco de Tchaikowsky...
pondría mi cabeza en su lugar.

Eulalio: ¿Lo... lo dice en serio? Yo... Yo... Es...
uno de mis predilectos...

Rosa Cohen: ¿Ah, sí? ¡Vaya! ¿Y qué tienes de
Tchaikowsky?

Eulalio: *(Rebuscando entre una pila de discos viejos.)* ¡Ajá! A ver... *(Lee.)* Fantasía de Romeo y
Julieta...

Rosa Cohen: ¿En serio? ¿Romeo y Julieta? *(Pausa.)* Un Romeo sin dientes y con un salario fijo...
Y una Julieta sin escenario...

Eulalio: Oigalo... Oigalo y verá... Es... ¡No sé!...

*(Se oscurece la escena, y en penumbra se
recortan las siluetas de ambos, sentados al
borde del catre, con las manos entrelazadas
y bajo la obertura de Tchaikowsky. Pero la
intimidad es súbitamente rota por Rosa
Cohen, que muerde sus uñas, en tanto se
prenden las luces.)*

ROSA COHEN: ¿Puede saberse que hacías luego de pensar en ferrocarriles y de meter la cabezota en el alma de una actriz?

EULALIO: Pues... Yo... Yo... decoraba, ¡eso es! Decoraba...

ROSA COHEN: ¿El museo de Rosa Cohen, no? *(Pausa.)* ¿Cuánto tiempo, lírico decorador?

EULALIO: Pues... Exactamente... *(Exhibiendo un cuadernito.)* Están todos los años, meses y días... apuntados...

ROSA COHEN: *(Silbando.)* ¡Eres un ejemplar! *(Deniega él.)* Sí, sí, un magnífico ejemplar... sacado del libro de la vida... *(Pausa.)* ¡Oye! Qué raro eres... *(Un silencio.)* ¿Nadie... te lo dijo? *(Eulalio oscila negativamente la cabeza.)* ¿Tendrás algún otro hobby para no acabar en un asilo de lunáticos?

EULALIO: Frecuento el parque. Palomas.

ROSA COHEN: ¿Palomas, eh?

EULALIO: ¿Por qué no deja de dar vueltas? Va a...

ROSA COHEN: ¡Palomas!

EULALIO: Es que no hay derecho... *(Pausa.)* ¿Sabe un secreto? Las palomas de nuestro parque central carecen de presupuesto municipal para su alimentación. ¡Es inmoral! Confían en el corazón de los transeúntes... Pero, ¿y si un día se olvidasen de llevarles arroz? ¿Qué ocurriría?

ROSA COHEN: Olvídese de las palomas...

EULALIO: Se lo voy a decir: la ciudad quedaría sin palomas. ¿Imagina usted una ciudad sin palomas? Imposible. Una ciudad sin palomas o sin pájaros sería como... como un hermoso río sin agua ni peces... O como un ...

ROSA COHEN: Olvídese de las palomas...

EULALIO: Y es que la imagen viva de una paloma o el canto de un pájaro puede salvar a un hombre en un momento de...

ROSA COHEN: ¡Olvídese de las palomas!

(Un silencio.)

ROSA COHEN: Usted... *(Transfigurada.)* Nunca las olvida...

EULALIO: Hago lo que puedo. *(Pausa.)* Me gusta irme a soñar a la cama con la conciencia tranquila...

ROSA COHEN: *(Sentándose junto a él.)* Rosa Cohen... te hizo daño, ¿verdad? *(Deniega él.)* ¿Me... perdonas? *(Eulalio se gira. La música de Romeo y Julieta sube de tono.)* Vamos, chiquitín, no seas una roca con tu Dulcinea... *(Acaricia su mano.)* ¿Así que me amaste siempre? En silencio, a distancia, en total anonimato... *(Eulalio aprieta los dientes.)* Pero el Cisne de las tablas nunca te dio motivos como para... *(Se encoge él de hombros.)* Dime... ¿te mandé fotos? *(Eulalio, con el índice, señala una fotografía colgada en la pared.)* ¿Sólo una? ¡Cómo! ¿Cómo es posible que...? Yo era muy responsable con la correspondencia... ¡Muy responsable! Por lo menos debí mandarte un tren de fotos dedicadas... ¡Tienes que creerme! *(Pausa.)* Alguien... debió robarlas... ¡Puercos! Sí. ¡Puercos! Porque Rosa Cohen tenía un corazón como la catedral de Toledo y regalaba fotos a quienes confesaban adorarla... *(Pausa.)* Incluso tenía un secretario privado para que apuntara en mi agenda los envíos... *(Pausa.)* ¡Lo recuerdo punto por punto! Tal día y tal día y tal otro... foto dedicada al funcionario de ferrocarriles... *(Un silencio.)* Puedes creerme... Salían con franqueo de urgencia... Y las fotos eran en color... *(Un silencio.)* Es cierto. ¿Me crees? *(Pausa.)* ¿No? Haces bien. ¡Soy una máquina de mentiras! *(Pausa.)* Aunque esto se arregla en el acto... Ahora mismo se repara el...

(Hurga con mano nerviosa en el bolso, volcando sobre el lecho los objetos que almacena.)

ROSA COHEN: ¡Toma! Esta fotografía para ti... ¡Y esta otra! ¡Y ésta! Y aquélla. Y esta tan linda también. ¡Todas! Todas las fotos son tuyas y... para toda la vida... ¡Eh! ¿Vas a despreciarlas? ¿Despreciarle fotos a Rosa Cohen? ¡Es el colmo de la ingratitud! *(Reflexiona.)* ¡Ajá! Entiendo... Lo que deseas es que te las dedique con mi puño y letra... Qué pájaro. Qué redomado truhán. No hay duda que eres un admirador profesional... ¡Claro! No tienes ni pizca de amateur... Hiciste del acto de admirar un arte, tal vez una ciencia... *(Pausa.)* Pero ya te está complaciendo la bella Rosa... *(Cruza las piernas y garabatea al dorso de las fotos.)* A mi incondicional admirador... ¡No! Es muy impersonal... *(Pausa.)* A mi apuesto y fiel seguidor... ¡No!

A mi noble y humilde galán... ¡No! A mi...
¡Oh!... ¿Por qué no colaboras en vez de jugar
a los silencios?

EULALIO: Otro día...

ROSA COHEN: Maravillosa réplica. Otro día.

(Rosa Cohen pierde el color. Tose.)

EULALIO: ¡Rosa!

ROSA COHEN: *(Entre convulsiones.)* ¡Agua! Por
favor... ¡Agua!

(Semeja ahogarse.)

EULALIO: ¿Agua? Sí... ¡Espera! ¡Espera!

*(Regresa Eulalio con un vaso. Ella se intro-
duce una píldora en la boca y bebe a sorbos
el agua.)*

EULALIO: No me gusta tu aspecto... *(Pausa.)* Llamaré a un médico...

(Eulalio corre al teléfono.)

ROSA COHEN: Ven a mi lado, junto a mí, te lo
ruego...

EULALIO: Pero el médico...

ROSA COHEN: Los médicos... *(Tose medio asfixia-
da.)* no entienden de estas cosas...

EULALIO: Sí, claro.

*(Parpadean luces. El tórax de Rosa Cohen
se ondula entre espasmos. Eulalio oprime su
mano. Un silencio. Ella, bruscamente, se
alza.)*

ROSA COHEN: Debo ir al banco a por fondos...
(Pausa.) Aún llegaré a tiempo...

EULALIO: Pero... no estás en condiciones de... Y la
gente podría...

ROSA COHEN: No te inquietes, mi príncipe, sé res-
guardarme...

> *(Eulalio, con talante bobalicón, observa
> cómo Rosa se embute un largo abrigo des-
> tartalado, cómo se acopla un sombrero que
> le camufla el rostro y cómo se cala anteojos
> oscuros. Al sentirse observada, Rosa Cohen
> sonríe con adolescente timidez. Sale. Eula-
> lio, oculta las manos en los bolsillos, de-
> ambula por su museo. Progresivamente se
> hace oscuro. Más tarde, un cenital cae sobre
> Eulalio, que habla por teléfono en el cuartu-
> cho de Rosa Cohen.)*

EULALIO: ...¡Debe oírme a mí! ¿Eh?... Insisto en
que no hay que dejarse impresionar por los chis-
mes de cierta prensa... *(Pausa.)* ¿Qué? Por supuesto... Los abogados de la Cohen ya tienen el
asunto en las manos... *(Pausa.)* Sus asesores jurí-
dicos obligarán a rectificar esa ola de difamaciones... No. *(Pausa.)* Por supuesto que no comulgo
con eso... *(Pausa.)* Le repito, señor, que una cele-
bridad como Rosa Cohen no puede esfumarse
del corazón de la sociedad sin dejar una huella...
¿Eh? ¡No son frases! Diga, diga... ¿Los años?
¿Qué años? *(Pausa.)* Lo esencial es que una criatura que electrizó los teatros más prestigiosos no
puede ser arrinconada ahora en el desván del
olvido... ¡Eh! ¿Qué? ¿Algunas veces? ¡No sea
cretino! *(Mirada furtiva a la puerta.)* Ponga-

mos... pongamos que tienen a Rosa Cohen en la mente un cincuenta por ciento de sus fascinados espectadores... ¿Imagina? Haga cálculos, saque numeritos... *(Mirada furtiva a la puerta.)* ¿Que no es posible ahora? Pues cuando disponga de tiempo... dé un telefonazo y pregunte por Eulalio, representante en exclusiva de la Cohen...

> *(Cuelga el teléfono chorreando sudor; en el umbral de la puerta se recorta la silueta de Rosa Cohen.)*

EULALIO: ¡Caramba! ¿Ya de vuelta?

ROSA COHEN: *(Arrojando el sombrero y el abrigo al suelo.)* ¡Miserable banquero! Hacerme esta faenita a mí... Nada menos que al Cisne de las candilejas... *(Se sirve coñac.)* Atreverse a berrear que no había fondos en la cuenta corriente... *(Bebe.)* Jamás Rosa Cohen pasó por semejante infierno... *(Bebe.)* Imagínate... toda una multitud que me contemplaba con inquietante familiaridad... Y ese hijo de perra, ante mis reclamos, se pone a rebuznar que yo estaba sin un céntimo... *(Bebe.)* ¿Crees que me reconocieron?

EULALIO: *(Encendiendo la pipa.)* Olvídalo.

ROSA COHEN: Me vengaré... *(Pausa.)* Haré que ese piojo de las finanzas se arrastre a mis pies como un escarabajo... ¡Quebrará! Nadie puede pisotear a Rosa Cohen... ¡Nadie!

> *(Extrae un húmedo envoltorio.)*

EULALIO: ¿Fuiste de compras, eh? ¿Qué es?...

ROSA COHEN: ¿Por qué no metes tus narices en...? *(Pausa.)* ¡En fin! Ya todo es igual...

(Abre un ventanuco que da a un deslunado,
y, mientras arroja el contenido del envoltorio
al patio, sisea a los gatos.)

EULALIO: ¡Sardinas!

ROSA COHEN: No seáis avariciosos... Hay para
todos... Mamá-Rosa compró el pescado más
fresco... ¡Claro! Una flota de pesqueros que
llevan por nombre: El Ángel de la Escena... se
hizo a la mar para traer a mis gatitos... *(Ra-*
biosa.) ¡No! Esa es para el minino blanco...
¡Eso es! Y esta sardinita para el siamés... *(His-*
térica.) ¡Dejad a la gata que coma! ¿No veis
que está a punto de parir? *(Pausa.)* Otra sardina
para el miau del lomo gris oscuro... Ja. Ja. Ja.
Pero qué caníbales... Parecen gatos humanos...
Ja. Ja. Ja. *(Pausa.)* ¿Y tú, chiquitín? ¿No te
dejan más que las espinas? *(Pausa.)* Mamá-Rosa
te bajará como siempre tu taza de leche con
sopas... *(Sacudiendo las manos.)* ¡Acabó el fes-
tín, hijitos!...

EULALIO: *(Atónito.)* No sabía que...

ROSA COHEN: ¡Oh! Me pasó por alto... presentarte
a mis... *(Se otean en lo hondo.)* Bien. Tú parlo-
teabas por teléfono, ¿no? *(Pausa.)* ¿Acaso...
una mujer? *(Se miran de hito en hito.)* Ja. Ja. Ja.
Sería espectacular... A nuestra edad... tú a mí...
poniéndome cuernos... Ja. Ja. Ja. ¡Sensacional!
Una pareja de ruinas humanas jugando a, a...
Dos momias con dentadura postiza... haciendo
pinitos eróticos... Ja. Ja. Ja. Porque tienes dentadura postiza... ¿Eh? Admítelo.

(Eulalio fuma en silencio.)

Rosa Cohen: A ver esa boquita de caramelo...
(Intenta abrírsela.) ¡Venga, espectro! Exhibe los
colmillos...

Eulalio: Cambiaba impresiones con Markos...

Rosa Cohen: *(Pálida.)* ¿Markos el promotor?

Eulalio: El mismo.

Rosa Cohen: ¿Y qué? Ya. Se lame el hocico por
subirme a un escenario... *(Sirve coñac y bebe a
trompicones.)* Debí intuirlo... *(Pausa.)* Ese astu-
to caimán se las sabe todas... Nada menos que
subir a un proscenio a la Cohen... *(Grave.)* ¿Adquirió los derechos de la obra del año, eh?
¿Pegó la obra en Broadway? ¿Tal vez en off-
Broadway? *(Enajenada.)* ¿Qué género? ¿Vodevil? ¿Drama? Seguro que se trata de una
comedia musical que se hizo milenaria en Londres... ¡Sensacional! Yo... con estas flacuchas
piernas... bailando un rock... Ja. Ja. Ja.

Eulalio: Por favor, cálmate.

Rosa Cohen: *(Tragando coñac sin tregua.)* ¡Eh,
cazador de autógrafos! ¿Piensas que Rosa Cohen
perdió su endiablado ritmo? Ahora verás...

> *(Rosa Cohen hace girar un disco; danza
> desordenadamente.)*

Rosa Cohen: ¡Ua! ¡Ua!... ¿Qué te parece? ¡Ua!
¡Ua! Ja. Ja...

> *(Se aproxima a Eulalio; alborota su ca-
> bello, distanciándose sin cesar de beber y os-
> cilar las caderas.)*

EULALIO: ¡Basta ya!

ROSA COHEN: A sus órdenes... *(Pausa.)* Ahora la incomparable y sexual Rosa brindará un striptease a su verde y morado galán... Ja. Ja. Te voy a excitar... Ja. Ja. Te voy a...

EULALIO: ¡Dije suficiente!

ROSA COHEN: ¿Y qué tal si me vieras...? ¿Recuerdas mis lindos pechos y mi trasero que hacía furor? *(Pausa.)* ¿Y si...? ¡Claro! Sería una experiencia... *(Pausa.)* Pero antes... antes... *(Se aleja hacia el tocador.)* Se exige un chorro de perfume y una ropa sexi... *(Se endosa una grotesca túnica.)* Ajá. *(Pausa.)* Luces suaves... Penumbra... *(Apaga luces.)* Música suave y rítmica... *(Hace sonar un disco.)* Pero bailemos primero...

(Se oye un fox; Rosa Cohen atrapa a Eulalio, apretujándose.)

EULALIO: Pero, mujer...

ROSA COHEN: Es mi fox predilecto... *(Lo palpa.)* Tienes una osamenta que no está nada mal, mi amor... *(Pausa.)* Aún te conservas... *(Lo besuquea.)* Decídite, Romeo... Tu Julieta está cachonda como una leoncita...

EULALIO: ¡Estás borracha!

ROSA COHEN: Aquí me tienes... dulce y femenina...

EULALIO: ¡Oh, Rosa, Rosa!...

ROSA COHEN: Haremos el amor... *(Bebe sin soltar la botella.)* Y luego saldremos en la prensa con

grandes titulares... Dos momias copularon como
camellos... Ja. Ja. Ja. Se agotará la edición...
¡Ya verás! Ja. Ja. Ja.

*(Al tratar de esquivarla, ruedan por los
suelos. Rosa Cohen cabalga sobre él.)*

ROSA COHEN: Arre, caballito, arre, trota sin inhibi-
ciones por las regiones del Placer y la Locura...
Ja. Ja. Ja. Trota caballito encima o debajo...
¡Qué más da! Ja. Ja. De este ejemplar masculino disfrazado de vieja calavera... Ja. Ja...

*(Se desmonta Rosa Cohen de un brinco; co-
mienza a despojarse de la túnica.)*

EULALIO: ¿Qué te propones?

ROSA COHEN: Y ahora Rosa la bella se queda como
llegó al mundo...

*(Eulalio la derriba. Luchan. Ella lanza una
dentellada y trata de abofetearlo; pero Eulalio atrapa los tobillos de Rosa Cohen y arrastra su cuerpo por el aposento. Luego, reso-
plando, la sube al catre, atándola con una
cuerda al lecho.)*

ROSA COHEN: ¿Qué haces, bastardo? ¿Qué le haces
a la flor de las cómicas?

EULALIO: Vas a estarte quieta, ¡vieja paranoica!
Vas a dejarme respirar aunque sea un segundo...

ROSA COHEN: No... ¡puedo moverme! *(Pausa.)*
Llamaré a la policía... ¡Eso es! Te acusaré de
sádico... Diré que tramaste violarme...

(Se oye el violín. Una sonrisa de melancolía se aposenta en la faz de Eulalio, mientras el rencor crece en Rosa Cohen.)

EULALIO: ¿No comprendes que estás acelerando... tu derrumbamiento?

ROSA COHEN: ¡Desátame, puerco! ¿Cómo te atreviste a...?

EULALIO: Todavía puedes frenar tu caída, Rosa Cohen.

ROSA COHEN: ¿Caída? La caída... la propició esta mentira cósmica que nos inunda... ¡Entérate, cerebro de mosquito!

EULALIO: No puedo enterarme. No puedo asimilar cómo la inefable Rosa que lo adueñaba todo...

ROSA COHEN: ¡Cierra el pico!

EULALIO: Juventud, belleza, talento, fama...

ROSA COHEN: ¡Cierra el pico!

EULALIO: Cayó de sopetón como una gaviota moribunda...

ROSA COHEN: ¡No sigas por ese camino!

(Se esfuerza en vano por romper las ligaduras.)

EULALIO: Nunca... Nunca pude entenderlo... *(Emocionado.)* Yo... seguía tus huellas... Conocía al dedillo el número de representaciones que alcanzaban tus estrenos...

(Risita alcohólica.)

EULALIO: A ojos cerrados sabía el lugar del Globo en que exhibías tu arte... Incluso en mi mapa clavaba con chinchetas el país, la ciudad...

(Risita alcohólica.)

EULALIO: Recuerdo la jubilosa fecha en que el alcalde de Roma te entregó las llaves de la ciudad...

(Risita alcohólica.)

EULALIO: Hasta que perdí... un día... todo rastro... *(Pausa.)* El más solemne silencio apagaba el fulgor de Rosa Cohen...

ROSA COHEN: ¡Cabronazo!

(Intenta, de nuevo, librarse de las cuerdas.)

EULALIO: ¿Por qué de súbito la rutilante estrella dejó de manar luz?

ROSA COHEN: ¡Desátame, hijo de puta!

EULALIO: ¿Por qué el nombre más repetido, la cara más fotografiada, la entrevista más cara se esfumaron de la escena y de la prensa?

ROSA COHEN: Te haré mierda, ¿comprendes, enano? He de aplastarte ...

EULALIO: Luego nacieron los rumores... Los inauditos rumores que me resistía a creer... *(Muestra un recorte de periódico.)* ¿Cómo podía destruirse la rosa del proscenio en orgías de alcohol y drogas? ¿Cómo?...

ROSA COHEN: Entrégame ese papelucho... ¡ladrón!

EULALIO: Lo hallé al azar, entre tus libros...

Rosa Cohen: No vuelvas a meter tu inmundo ojo en mis cosas... ¡No vuelvas!

Eulalio: Te enjaularon en un hospital de...

Rosa Cohen: Desátame.

Eulalio: ¡Tú! Estuviste...

Rosa Cohen: Estuve, estuve, estuve... ¿Y qué? ¿Eh? ¿Y qué? Fui drogadicta. Y es posible que dentro de un minuto lo vuelva a ser... *(Jadea.)* Esta jungla de escorpiones chupa lo suyo, ¿sabes?

Eulalio: Las palomas del parque central estarán hambrientas...

(Eulalio se dirige a la puerta.)

Rosa Cohen: Escucha, pigmeo sentimental, no se puede ser una Dulcinea del Arte brincando de una nube azul a otra rosa... ¿Lo asimilas? A veces hay que saltar entre nubarrones y huir y olvidarse... Y en mis pesadillas... surgían legiones de bellas jovencitas de pechos robustos aspirando a ser una Cohen... ¡Y Rosa Cohen sólo hay una! Y hay vacíos demoledores que un nirvana bien inyectado supera... *(Pausa.)* ¿Entiendes ya un ápice, un algo, un poco a tu adorada y mágica Rosa?

Eulalio: *(Ronco.)* Dame tiempo.

Rosa Cohen: ¿Te vas...?

Eulalio: Con las palomas.

Rosa Cohen: ¿Estás... enojado?

Eulalio: *(Deniega con la cabeza.)*

Rosa Cohen: ¿Decepcionado?

Eulalio: *(Torna a denegar.)*

Rosa Cohen: Esta no es tu estrella radiante... ¡Ea! Vomítalo. Te asomaste al cielo buscando una estrella... porque eres hombre de estrellas, tal vez un cazador de astros... y... *(Otro matiz.)* Erraste.

Eulalio: *(Un rictus de amargura florece en su cara.)*

Rosa Cohen: ¿Estás tramando... dejarme?

Eulalio: Hoy... tengo necesidad de mis palomas.

> *(Sale. Rosa Cohen, bajo un rechinar de muelas, intenta zafarse de las cuerdas. Aparece Eulalio.)*

Eulalio: Yo...

Rosa Cohen: Sabía que no me dejarías... *(Pausa.)* Me duelen todos los huesos...

OSCURIDAD

SEGUNDO ACTO

Sigue la acción del Acto Primero.

EULALIO: ¿Cómo puede caer en vertical... una estrella?

ROSA COHEN: *(Rabiosa.)* ¡Qué te pasa hoy!

EULALIO: Si voy a estar contigo un segundo, un mes, años... ¡El resto de mi historia! Necesito saber quién es Rosa Cohen.

ROSA COHEN: Sirve un coñac.

EULALIO: Luego.

ROSA COHEN: ¡Eres una araña! *(Pausa.)* ¿Quieres saberlo? *(Pausa.)* Pues bien... Esta muñeca abrió los ojos por primera vez en un Bazar... donde sólo existía una moral: la moral de competir. Y a la encantadora monigote le dieron cuerda para que actuase en la etapa adulta como marioneta triunfante, ¿entiendes? La pelele de ojos oceánicos hubo de agitarse en ese vastísimo Bazar, donde existiendo lugar para todos, todos se emperraban en que no había sitio más que para unos cuantos... *(Gime.)* Y por eso los pasmarotes debían adoptar la moral del pisoteo, la filosofía de la exclusión, porque el afán de protagonismo era el resorte que movía a las figurillas, ¿te enteras, funcionario de ferrocarriles? *(Pausa.)* Cierto que el Bazar urgía de oxígeno para existir, pero gozábamos del universo entero para nutrirnos. *(Pausa.)* Sin embargo, ignoro por qué cada títere estaba cochinamente emperrado en absorberse él solito el universo... ¡Qué irracional payasada! *(Pausa.)* ¿Cómo podía cometerse semejante genocidio? ¿Por qué debíamos destruir al fantoche de al lado si habitábamos un mágico Bazar, organizado para satisfacer ensueños y apetencias? *(Gime.)* Yo... Yo era una muñequita de largas trenzas que soñaba en otros bazares poblados por juguetes que sintieran emociones inefables ante la idea de lo justo y lo auténtico... *(Gime.)* Pero ya ves, ferroviario, mis papás-marionetas adormecían a su muñequita en la cuna con melodías engatusadoras: Serás Rosa la Polichinela, Rosa la Bella, Rosa la Divina, la Inimitable, la Insuperable, el juguete más cotizado y admirado de la época... *(Gime.)* Ja. Ja. Ja. ¿No es fabuloso? Pero atiende a tus papis, pepona, sólo hay una técnica para ser la muñeca del siglo: absorber para ti sola todo el oxígeno del cósmico Bazar, ¿entendido, tierna polichinela de ojos oceánicos? Entendido, entendido, ¡entendido! *(Enjuga lágrimas.)* Y tú, ¿ya estás complacido, jubilado de mierda?

EULALIO: *(Amagando alzarse.)* Las palomas del parque me esperan...

ROSA COHEN: ¡Aguarda! *(Pausa.)* ¿Querías saber quién es Rosa Cohen, no? *(Pausa.)* Pues bien. Yo acepté ser Rosa Cohen y me tragué todo el oxígeno que pude del Bazar que gira por el

Cosmos. Y cuando los otros juguetes se cerciora-
ron, intentaron arrinconarme... *(Pausa.)* Ya nin-
gún muñeco podía soportar mi fulgor. Y por
eso había urgencia en marginarme, en ofrecerme
los papeles despreciados por otros polichinelas...
(Pausa.) Cierto que el cabrón tiempo no trans-
curre en balde... ¡Pero yo me mimaba! Existía
el yoga, la cirugía estética, ¡podía ser la eterna
Rosa Cohen de la escena!... *(Pausa.)* Pero no...
(Pausa.) La Cohen había resplandecido suficiente... y detrás andaban las otras marionetas, em-
pujando, intrigando, manipulando... porque a
esos espantajos también les habían susurrado en
la cuna idénticas nanas... y habían respirado en
el mismo Bazar *(Pausa.)* Y por eso maquinaban
desbaratar a la muñeca-Rosa, y por eso querían
torcerle el cuello al Cisne de la escena... ¡Y lo
consiguieron!...

EULALIO: Sigue. ¡Sigue!

*(Rosa Cohen esconde el rostro entre las ma-
nos. Solloza. Desde el deslunado, óyese
maullar a los gatos.)*

EULALIO: Ahora recuerdo... Hubo una célebre etapa
de rabietas, de excentridades, de desplantes a
mitad de los ensayos...

ROSA COHEN: ¡Muérdete la lengua!

EULALIO: ¿Estrella fija o fugaz...? ¡Qué dilema!

ROSA COHEN: ¡Estás grillado! Siempre lo pensé...
(Pausa.) Un grotesco paranoico que lame los pies
de los poderosos...

EULALIO: Sí, mi adorada trágica, te quedaban dos alternativas, dos caminos, dos actitudes...

ROSA COHEN: ¡Dije que te comieras la lengua! ¡Lo dije!

EULALIO: Tu resplandor debía cesar... Aunque podías emitir destellos de otra naturaleza... He ahí la cuestión, la vital encrucijada de Rosa Cohen...

(Se retuerce ella, roja de ira, impotente de librarse de las ataduras.)

ROSA COHEN: Maldecirás el día en que tus leprosos ojos se fijaron en mí... ¡Lo juro!

EULALIO: Y Rosa Cohen no quiso renunciar. Sus toneladas de orgullo le hicieron retar al dios-tiempo y a la ley-vida, y a todo aquello que el humano debe aceptar con resignación...

ROSA COHEN: *(Escupiéndole.)* ¡Rata de alcantarilla!

EULALIO: Ocultaste la cabeza bajo el ala de tu personal interés, te fabricaste otro mundo, otra lógica, pobre, Rosa...

(Una violenta crisis sacude a Rosa Cohen; su tos semeja ahogarla. Con celeridad, Eulalio la desata.)

EULALIO: ¡Rosa! ¡Rosa!

(La mujer se yergue, sonámbula, sentándose al borde del camastro, con la cabeza gacha. De súbito, rompe a reír y encañona a Eulalio con una diminuta pistola.)

Rosa Cohen: Ja. Ja. Ja.

Eulalio: ¡Rosa!

Rosa Cohen: ¿Qué tal el numerito? ¿Hay o no hay madera de actriz en Rosa Cohen?

Eulalio: Ha sido... *(Recula, pasmado.)* una exhibición... magnífica... *(Sudoroso.)* Creí por un instante que te ibas al otro barrio...

Rosa Cohen: Ja. Ja. Ja. *(Pausa.)* Ahora te vas a enterar, chupatintas...

Eulalio: *(Con la faz desencajada.)* No irás a...

Rosa Cohen: Sí, vampiro de ideas subterráneas... voy a aniquilarte, pero no con un estilo vulgar... *(Pausa.)* Rosa Cohen adora la estética y mi crimen rozará la obra maestra, ¿sabes? *(Pausa.)* ¿Pero cómo ejecutar un bello crimen? *(Pausa.)* ¡Hale, Rosita, piensa, inspírate! Debe existir un método ideal para destruir a este alacrán... Y debe morir a pausas, a segundos, en agónicas etapas. ¡Quieto, ratón! Las manos en la nuca... ¡Rápido!

Eulalio: *(Obedeciendo.)* Claro... Claro.

Rosa Cohen: Tal vez te deje morir de sed... ¿Y por qué no de hambre? Rosa Cohen luciría más tarde un esqueleto particular colgado del perchero... ¡No, Cisne! Algo más original, más rovolucionario...

Eulalio: Rosa... ¿has perdido el juicio? ¡Rosa!

Rosa Cohen: De momento... ¡al armario!

Eulalio: ¡Cómo!

Rosa Cohen: Cuélate en el armario o...

> *(Alza el seguro del arma. Eulalio, con pasmo, desaparece en el armario. Rosa Cohen lo encierra con llave.)*

Rosa Cohen: ¡Ajá! Ya tengo a mi antropófago del subconsciente enjaulado... Ja. Ja. ¿Cuántos días? ¿Diez? ¿Un mes? ¿Toda la eternidad? Ja. Ja. ¡Hay que celebrarlo!... Cayó como un pajarito...

> *(Bebe con talante esquizofrénico; Eulalio aporrea el armario.)*

Eulalio: Por favor, Rosa, vuelve en ti... *(Pausa.)* No cometas algo que luego...

Rosa Cohen: *(Vaciando una botella.)* ¡Vil sanguijuela! ¡Macho explotador! Os pasasteis la vida oprimiendo a la hembra, subestimándola, dejándola para las despreciables faenas domésticas... *(Bebe.)* Ja. Ja. Pero voy a vengarme... Ja. Ja. *(Bebe.)* En nombre de la Mujer Universal vas a expiar el daño histórico que causasteis al enajenado sexo débil... Ja. Ja. *(Bebe.)*

Eulalio: ¡Sácame de aquí! Apenas... si puedo... respirar... Y sufro de claustrofobia...

Rosa Cohen: ¡Pues púdrete de claustrofobia! Ja. Ja. *(Bebe.)* Hay que despedirte, mono peludo, con música... *(Yendo hacia el toca-discos.)* ¿Qué tal "Fantasía para un gentil hombre"? ¡No! Es más apropiado "El bufón", de Prokófieff... ¡Tampoco!...

Eulalio: *(Voz débil.)* Por favor, Rosa, por favor...

Rosa Cohen: Quizá "El Cerrojo", de Shostako- vitch... *(Dubitativa.)* ¡Eureka! Para tus funerales lo más apropiado será *(Óyese la sinfonía.)* "Misa pro Defunctis", de Aneiro. ¡Eureka! Ja. Ja. *(Danza como una demente.)*

Eulalio: *(Bajo un hilo de voz.)* Te lo ruego, sácame de aquí, por favor, Rosa...

Rosa Cohen: *(Apurando otra copa de coñac.)* Sí. Es lo más acorde al destino de un miserable jubi- lado... Ja. Ja. *(Bebe.)* Yo reventaré de un ins- tante a otro, pero tú me secundarás, mono opresor, ja, ja... *(Bebe.)* Además... será una me- morable historia de amor... Un idilio de la crueldad... ¿Sabes? Pienso... que debería de- vorarte... Ja. Ja. *(Bebe.)* Primero copular y luego hacer una bacanal con tus huesos... Ja. Ja. *(Bebe.)* En la jungla este carnaval de sexo y sangre es familiar... Ja. Ja. *(Bebe.)*

Eulalio: Puedes seleccionar mi aniquilamiento, pero nada evitará el tuyo, Rosa Cohen...

> *(Ella adquiere, al oírlo, la rigidez y el color de un cadáver; la convulsiona el acceso as- mático, y cae a tierra, ovillada.)*

Eulalio: Rosa... ¿Rosa?... ¿Qué ocurre...? ¡Ro- saaa!

> *(Se arrastra Rosa por el suelo, avanzando pulgada a pulgada hacia el armario.)*

Eulalio: ¿Estás mal, Rosa? Contéstame. ¿Estás mal...?

> *(Se la oye toser y jadear.)*

EULALIO: Escúchame, querida... Procura alcanzar el teléfono y avisar a una ambulancia... ¡No! Antes... debes abrirme el armario... ¡Rosa! ¿Me oyes? Trata de erguirte... Gira la llave... ¡Gírala o sucumbiremos!...

ROSA COHEN: No se me olvida... cómo has definido, resumido y etiquetado a la bella Rosa... ¡Diletante de mierda! *(Tose.)* Rosa Cohen es algo más... que la mezquina imagen... que has pintarrajeado... *(Tose.)* Porque Rosa con su arte estimuló y sublimó año tras año una sociedad tediosa y desmoralizada... *(Tose.)* Sí, funcionario de ferrocarriles, la sílfide de la escena actual cautivó a un mundo que se creyó que por poseer más iba a ser más feliz. *(Tose.)*

EULALIO: ¡Dios! Estoy asfixiándome...

ROSA COHEN: Ofreció Rosa su cuerpo y su voz para encarnar... *(Tose.)* y blasonar... las ideas más hermosas y reivindicativas de los poetas dramáticos de su tiempo... *(Tose.)* Rosa Cohen simbolizó la justicia, desenmascaró el fraude... denunció la demagogia que enloda el presente histórico... *(Tose.)*

EULALIO: ¡Me falta aire! Van a estallar mis pulmones...

ROSA COHEN: Todo oprimido... halló en la Cohen una mano solidaria y fraternal... *(Tose.)* Y más contribuciones legó esta sensible farandulera a la sociedad...

EULALIO: Rosa...

ROSA COHEN: Legó mensajes de convivencia humana... *(Tose.)* Motivó a un mundo con más calidad de vida y menos violencia... *(Tose.)* La dulce Rosa sensibilizó el alma grosera de su tiempo... dando vida a personajes de ficción más nobles y leales que la mayoría... *(Tose.)* que pululan destruyéndose en esta selva donde la verdad se llama Oro y Poder...

EULALIO: *(Muy débil.)* Rosa...

ROSA COHEN: Esa y no otra fue la real, la auténtica, la genuina Rosa Cohen...

> *(Logra avanzar un palmo más y, alzando la mano, gira la llave. Cede la puerta del armario. Rosa, sobrecogida, otea el interior. Se le escapa un alarido.)*

ROSA COHEN: ¡No, mi amor!

> *(Eulalio sale a gatas del armario, semiinconsciente.)*

EULALIO: ¡Oh!...

ROSA COHEN: Amor, respira, respira...

> *(Un silencio. Brota el violín.)*

EULALIO: Ya... Ya... siento... el aire.

ROSA COHEN: Estoy muy mal, mi pequeño funcionario...

> *(Se incorpora Eulalio, aletargado.)*

EULALIO: Te traeré al más eminente doctor de la ciudad ...para que te devuelva tu salud de hierro.

ROSA COHEN: *(Deniega, abatida.)*

EULALIO: Tú misma... lo comprobarás... *(Pausa.)* Ahora... entra en la cama...

> *(Eulalio la toma en brazos, pero se derrumba con ella. Prueba de nuevo y en zigzag la deposita sobre el lecho.)*

ROSA COHEN: Siento... que desciende... el último telón.

EULALIO: ¡Pues detenlo! Tú eres la primera actriz y puedes hacer a capricho lo que se te antoje en la escena... del mundo.

ROSA COHEN: Eulalio...

EULALIO: *(Con un escalofrío.)* Te traeré un médico... *(Deposita un beso sobre su frente.)* Y ahora la bella Rosa dormirá a pierna suelta... porque su relaciones públicas vela por ella...

> *(Oscuridad. Un cenital baña de luz a Eulalio, sentado sobre un taburete de clínica y con la cabeza reclinada en el pecho.)*

VOZ: Sólo me resta notificarle, como amigo y médico de la señora Cohen, que Rosa fue más allá de sus posibilidades sicosomáticas... Hoy la cienca es inútil con esa vida de conflictos, de alcohol, de crisis asmática y de drogas...

EULALIO: ¡Habrá un remedio! Tal vez una medicina de un laboratorio americano o ruso... ¿Eh? *(Pausa.)* ¿Vamos a dejarla reventar? *(Pausa.)* Es la Cohen... ¿Se dan cuenta? La farandulera del siglo... *(Solloza.)*

VOZ: Es un milagro que su debilitado organismo aguante todavía...

EULALIO: Organismo. Cuerpo. Carne. Células. *(Se alza, exasperado.)* Pero Rosa es más que un hígado despachurrado y unas vías respiratorias rotas... ¡Rosa es algo más! *(Solloza.)* Rosa es... un pájaro colgado del cielo... *(Pausa.)* Tal vez un viento de cólera..., pero no se la puede auscultar ni diagnosticar como a un mortal más... ¿Entiende? ¡Claro que es otra cosa la Cohen! ¡Ah, sí! *(Pausa.)* Es como... *(Gruesos lagrimones resbalan por su mejilla.)* Usted, doctor, en primavera, tal vez al alba, se habrá echado al campo para ser testigo del milagro de una flor desperazando sus pétalos... Y usted, doctor, pese a su grave ciencia, no osó respirar para que su aliento no perturbara a la flor... porque siendo un poema de pétalos... podía borrar el paisaje que su lírica geometría provocaba... *(Enjuga otra lágrima.)* Pues eso y más es Rosa Cohen... *(Pausa.)* Yo... soy un simple jubilado del ferrocarril y no puedo competir en ciencia con usted, doctor... Pero Rosa... *(Brilla una lágrima en sus ojos.)* Es algo más... ¡Sí! Espíritu, ánima, esencia, aliento, sustancia... Qué sé yo. *(Crispado.)* Usted no da un céntimo por ella, pero le aseguro que mientras respire en calidad de ave mágica de la escena, Rosa no dejará que caiga el último telón... ¡Palabra de ferroviario!...

(Se encasqueta Eulalio el sombrero hongo que retorcía como una esponja.)

EULALIO: Adiós, doctor, debo llevar arroz a las palomas...

(Oscuridad. Después las luces permiten vislumbrar a Rosa Cohen tirada sobre la cama,

en plena crisis convulsiva. Más tarde, se alza
y bamboleándose se desplaza frente al arma-
rio. Durante el trayecto, pega algún que otro
traspiés.)

ROSA COHEN: Estás en la escena del mundo, Rosa,
y se insinúa el último acto de esta ¿farsa?, ¿tragedia? ¿Qué importa. El caso es que debes res-
plandecer tal como exige tu estatura artística...
(Se enfunda largos calzones blancos del siglo pa-
sado.) ¿Quién... podría aventurarme este final?
(Pausa.) De niña... me dormían con deliciosas
narraciones de Andersen... de los hermanitos
Grimm y con fábulas de *Las mil y unas noches...*
(Se pone una blusa isabelina de 1850, con puños
y cuello de puntilla.) La pequeña Rosa fue amaes-
trada y sensibilizada para soñar con mágicas
hadas que colmaban de deseos y sueños a los
insatisfechos mortales... y pronto Rosita Cohen
se enamoraría de príncipes azules que no vacila-
ban en unir sus destinos con explotadas aldeanas
y pastorcitas analfabetas... *(Se acopla una falda*
muy amplia en pana de algodón, color verde bo-
tella.) Y tal como se atiborraba su cuerpo de
encantos, la niña-Rosa iba tras el ideal masculino
que colmaría sus máximos anhelos de hembra...
(Elige del mísero guardarropa una hombruna
americana, de la década de los años cincuenta, y
de un verde subido.) Y ya adulta... la bella
Rosa... rastreaba las huellas del ideal por hoteles
de cinco estrellas, palacetes antiguos y playas de
moda... *(Se anuda una estrecha corbata oscura*
y a lunares, que extrae de un arcón.) Y el adonis
azul no asomaba la jeta por lado alguno... *(En*
su cabeza aterriza un gorro de pescador irlandés.)

Es cierto... que Rosa sintióse fascinada por ases del deporte, por omnipotentes de las finanzas y por petimetres de la aristocracia... *(Se calza unos zapatos de los años cuarenta.)* Pero ese amante que soñaba en mis noches adolescentes... no se guipaba en todo el Globo... *(Cae frente al tocador y se embadurna los labios de carmín.)* Y comprendí que otra vez habían manipulado la tierna mente de Rosa... Que la habían estafado el corazón pintándole héroes de paja... *(Se pintarrajea con ira.)* ¿Dónde están los gigantes del espíritu? ¿Y los bardos de la vida? *(Conecta el toca-discos, oyéndose al momento* El Danubio azul.*)* Y la ingenua Rosa, la muñeca Rosa sintió en lo más hondo cómo se rompían sus castillos irreales...

> *(Se curva Rosa Cohen y, estirando los brazos bajo el camastro, extrae, jadeando, un féretro.)*

ROSA COHEN: Y la divina farandulera bajó los ojos de los astros y comenzó a relacionarse con los enanos de la industria, de la política y del comercio...

> *(Con un plumero limpia el polvo del ataúd, perfumándolo después con un líquido volatizado.)*

ROSA COHEN: ¿Cómo?... ¿Cómo podía captar, intuir... que habían príncipes anónimos y callejeros...? ¡Ah! ¿Cómo?...

> *(Se cerciora con un metro de la longitud del féretro.)*

ROSA COHEN: ¿Y cómo imaginar que mi caballero andante estaba... incrustado en el esqueleto de un modesto ferroviario? Qué cruel paradoja...

(Se observa con espíritu crítico; engalana su cuello con un collar de piedras falsas y, derrochando dignidad, se cuela en el féretro, echado en la cama.)

ROSA COHEN: No importa, extraviada Rosa, el caso es que hallaste a tu hombre... *(Se quiebra su voz.)* Aunque fuera sin la hermosura y pujanza sexual de... *(Histérica.)* La vieja y momificada Rosa Cohen halló a su pareja en un ferrocarril celeste... ¡Es todo!

(Oscuridad. Las luces escénicas sorprenden a Eulalio deambulando por el parque.)

EULALIO: ¡Nada! Ni un alma vagabunda por el parque... ¿Y qué me importará a mí dónde se nutrirán, dormirán y soñarán los desarraigados...? ¿Acaso un jubilado, un fuera de la circulación laboral no es un desarraigado? *(Pausa.)* ¡Tampoco se ve volar a las palomas! *(Suspira.)* ¿De dónde deduzco yo que Markos, el poderoso Markos, me recibirá sin patearme las nalgas? Y como relaciones públicas... ¿poseeré el natural instinto para detectar una obra con emoción estética e intelectual?

(Eulalio se desploma, abatido, en un banco. Carga la pipa. Sólo lo alumbra un cenital. Sus pensamientos fluyen por el altavoz.)

EULALIO: Pequeño funcionario..., ¿sabes realmente qué tramas? *(Expresión escéptica.)* Lo suponía. *(Pausa.)* Has quemado tu juventud, tus mejores años... ¡Estúpido! *(Encaja con un rictus el agravio.)* ¿Puede saberse quién te ordenó enamorarte de una extravagante y neurótica polichinela? *(Sacude los hombros.)* Lo suponía. *(Pausa)* Tu ciudad hervía de doncellas... Cualquiera de ellas te hubiera hecho feliz... Podías optar. Gozabas de un salario fijo. Tenías buena planta, eras sentimental y medio poeta... *(Pausa.)* Ahora una turba de juguetones nietos iluminarían tu vejez... *(Expresión paternal.)* ¡Mira, en cambio, tu realidad actual! *(Talante compungido.)* Te has convertido en un chiflado vejestorio ligado a un espantoso montón de huesos, no menos disecados que los tuyos... *(Expresión de sentimiento de culpa.)* ¡Majadero! *(Acusa facialmente el insulto.)* Además, arruinar tus años por una mujer que jamás te amó... A quien nunca hiciste el amor... ¡Y que siempre te repudió! Hasta por la violencia... *(Deniega él.)* ¿Olvidaste quizá cómo te vapuleaban sus gorilas? *(Deniega él.)* Tienes un hombro dislocado... *(Asiente Eulalio.)* Y un hueso de la columna hecho puré... *(Se lo palpa.)* Estuviste en un tris de morir asfixiado... *(Afirma con el mentón.)* ¿Pero es que no es suficiente para ti? *(Talante resignado.)* ¡Huye! *(Deniega él.)* Aún estás a tiempo. Déjala. *(Torna a denegar.)* ¡Abandónala! *(Igual.)* Ese esqueleto con faldas tiene los días contados... Nunca hizo nada por ti... ¡Piénsalo!...

> *(Cobra luminosidad la escena; Eulalio semeja volver de un viaje onírico. Y para enmascarar su estupor, esconde las manos en la bolsa del arroz. Luego se alza.)*

EULALIO: Palomas... Palomas... Venid para acá...
Venid...

> *(Un cenital, al encenderse, ilumina a un ma-*
> *niquí con vestimenta bohemia. Aferra una*
> *pluma y un bloc. Junto al maniquí se apiñan*
> *unos libros.)*

EULALIO: Palomas... Palomas... *(Mirada al mani-*
quí-bohemio.) Alejad el miedo, palomitas... *(Mi-*
rada al maniquí-bohemio.) ¿No veis que llegó
papá-arroz? *(Mirada al maniquí-bohemio.)* ¡Ni
una! ¿Dónde diablos habrán emigrado? *(Mirada*
al maniquí-bohemio.) ¿Serán aves subversivas y
habrán debido exiliarse? *(Mirada al maniquí-*
bohemio.) No. Si por el hecho de respirar... el
mundo entero es culpable... *(Toma asiento junto*
al maniquí.) ¿Molesto? *(Un silencio.)* Perdone.
Dije si molestaba... *(Un silencio.)* Es que... a lo
mejor lo disperso... *(Un silencio.)* Es que... tal
vez se distraiga al ver y al oír llorar a un hombre... *(Pausa.)* Porque voy a llorar, ¿sabe? Y
seguro que resulta un espectáculo deprimente
las lágrimas de un hombre mayor... *(Pausa.)*
Lo entiendo, no crea. A mi edad hay que ser más
serio... Pero le juro que estoy a punto de estallar! *(Pausa.)* ¿Usted... usted permite que un
ciudadano desdichado llore? *(Pausa.)* ¡Oh, gracias! Muchísimas gracias, caballero, qué sería de
la humanidad si estuviera huérfana de seres como
usted que autorizan llorar a su prójimo... ¡No!
No digo nada... *(Pausa.)* Si interrumpe mis sen-
timientos, a lo mejor luego no salen las lágrimas... *(Mirada al maniquí-bohemio.)* ¿No me
cree que voy a inundar el parque, eh? *(Pausa.)*
Pues ya puede ponerse a salvo... *(Pausa.)* ¿Sabe

nadar? *(Pausa.)* Entonces... despegue el trasero
del banco y salga zumbando... porque el parque
será un océano de un instante a otro... *(Mirada
al maniquí-bohemio.)* ¿Y ahora por qué me mira?
¿Me está exigiendo agresivamente que lo demues-
tre? ¿Reclama mi llanto? ¡Ahora no me da la
gana! ¿Quién se cree que es usted? ¿Con qué
derecho pide que un respetable y maduro ciudadano llore? *(Pausa.)* ¡Oh! Ahora... ¡Ahora sí!

> *(Eulalio llora a torrentes bajo su propia per-
> plejidad. Óyense piar las aves del parque.
> Persisten los sollozos de Eulalio. Al rato,
> ceden. Eulalio, con las mejillas teñidas de
> rubor, no sabe cómo disfrazar su debilidad.
> Sin alzarse, silba a las palomas. Luego fisga
> de reojo al maniquí-bohemio. Sonríe. Y como
> si nada, exclama.)*

EULALIO: ¿Qué hace...? Sí... ¿A qué dedica su ser?
(Pausa.) ¡Eh! No es que me incumba... Cada
quién es libre de proyectar un quehacer... Unos...
*(Otros cenitales dibujan las sombras de mani-
quíes-vagabundos recostados en el césped y por
los bancos.)* Unos... vagabundean... como aque-
llos desarrapados... *(Pausa.)* Otros prostituyen a
la humanidad... *(Pausa.)* Algunos cifran su vigor
en sublimarla... *(Pausa.)* Estos elaboran cultura...
Aquéllos, la destruyen... *(Pausa.)* Unos hacen de
su máximo quehacer un fraude... Otros, se reali-
zan en la filantropía.

> *(Brinca Eulalio arriba del banco. Desciende.
> Y gira y da vueltas cada vez más delirantes
> en torno al maniquí-bohemio.)*

EULALIO: Las prostitutas juegan a la canasta, y los

pícaros viajan en yate... Ja. Ja. Los filósofos
rumian verdades del ser y del mundo, y los demagogos manipulan a las masas... Ja. Ja. El ciervo
humano huye, y el león del poderoso se lo engu-
lle. Ja. Ja. Una época lega excelsos frutos de la
razón y del espíritu, y otras épocas alumbran
monstruitos, luego transformados en Guías y Héroes... Ja. Ja. Unos se buscan y no se hallan, y
a otros les importa un rábano vivir extraviados...
Ja. Ja. El oportunista se ceba en caviar, y el sabio
en perejil... Ja. Ja. *(Sigue girando como alucina-
do.)* Los diletantes se masturban con el arte nuevo, y los genuinos creadores caen tísicos por falta
de estímulos... Ja. Ja. Dios siempre es noticia y
nunca aparece en la televisión... Ja. Ja. Los extra-
terrestres fornican con las terrícolas y sus cón-
yuges rugen y se desvanecen en los estadios de
fútbol... Ja. Ja. Un negocio es el alumbramiento
de un individuo, y otro negocio es su defunción...
Ja. Ja. Según el proverbio árabe, el hombre no
puede brincar fuera de su sombra y, en cambio,
yo juego al tenis con ella... Ja. Ja. Soy enamora-
dizo, juglar y jubilado, y usted para colmo... Y
usted para colmo...

> *(Suspira Eulalio. Frena su demencial carre-
> ra. Sonríe entre forzoso y turbado. Acaba
> por alejarse del banco, y disimula sembran-
> do sus pies de granos de arroz.)*

EULALIO: Palomas... Torcaces... Tórtolas... Mensa-
jeras o sin mensajes... ¡Acudid! No os resistáis a
comunicaros con... con... ¿Gavilanes terrícolas?
Qué estupidez...

> *Regresa Eulalio al lado del maniquí-bohe-
> mio.)*

EULALIO: ¡No! Tranquilo, signore. *(Pausa.)* Esta vez
el hombre de las palomas no llorará... *(Pausa.)*
Y ahora... ¡Adiós! Me voy con... *(Pausa.)* ¿No
lo dije? Tengo novia... es una cabra salvaje...
Je. Je. Es broma. Ella es... la reina de los cis-
nes... y a mí me fascinan los estanques... *(Pausa.)*
Debbo partire subito, signore... Soy un preten-
diente tradicional y debo llevar flores a la doncella... *(Se despoja del sombrero, esbozando una
reverencia.)* Resultó un alto placer charlar con
usted, caballero. Un placer y un honor.

> *(Sonríe Eulalio y se acopla el sombrero. Os-
> curidad. La luz de un foco cae sobre Eulalio,
> que franquea el pisito de Rosa Cohen. Par-
> padea y se sobresalta ante el chisporroteo de
> un cirio. Luego, avanza, intrigado, y al ad-
> vertir el féretro sobre la cama, lanza un
> gemido a la par que se ilumina el aparta-
> mento.)*

EULALIO: ¡Oh, Rosa, Rosa!... *(Se sienta junto al
ataúd y gime. Entonces Rosa Cohen se yergue
un poco y de un soplido apaga el velón.)*

EULALIO: ¡Rosa!

ROSA COHEN: Payaso.

EULALIO: No está... fiambre.

ROSA COHEN: Saltimbanqui.

EULALIO: ¡Oh, cielos! Qué alegría. Qué felicidad.
(Absorto.) ¿Y por qué...? *(Pausa.)* ¿Y de dónde
sacaste...?

ROSA COHEN: Una bruja muy moderna me señaló
el día y la hora que...

EULALIO: ¡Inaguantable! Desde cualquier punto de vista... ¡Intolerable! Sal de esa caja... ¡Rápido!

(Rosa Cohen se resiste; Eulalio suda como una locomotora para extraerla del féretro.)

EULALIO: Este cajón de muertos... ¡Con los gatos!

(Arroja Eulalio el ataúd al deslunado, y Rosa Cohen jadea sobre el camastro, muy demacrada.)

ROSA COHEN: ¿Qué has hecho, lagartija? *(Le sacude la tos.)* El carpintero de la esquina me había tallado la caja a un buen precio...

EULALIO: ¡Nadie necesita cajas! Nadie precisa féretros... ¿Me oyes, Cisne? ¿Oyes a tu relaciones públicas?

ROSA COHEN: Los lobos del Seguro... *(Tose.)* Me dieron de baja... *(Tose.)* Por no pagar la póliza del mes... *(Tose.)* Pero Rosa Cohen se hizo con su ataúd... *(Tose.)* Y ahora tú, canalla... *(Gime.)*

EULALIO: Tendrás a tu debido tiempo un funeral... Unos funerales de honor como no soñó criatura alguna...

ROSA COHEN: Buen viaje, Rosa, buen viaje... *(Pausa.)* Es lo único que oigo... *(Pausa.)* La vida le dice adiós a Rosa Cohen...

EULALIO: ¡Patrañas! Nadie dice adiós. Nadie quiere que te vayas... *(Pausa.)* Por el contrario... los más acreditados medios de comunicación, no respiran pendientes de la Cohen... *(Pausa.)* Los periódicos, los reporteros gráficos, los semanarios, los noticieros... ¿Me oyes, Rosa? *(Inclínase sobre ella.)* ¿Puedes creer a tu caballero andante?

ROSA COHEN: Mientes más que hablas... *(Tose.)* Ese es tu vicio, hombrecillo...

EULALIO: ¡No miento, Rosa! Los periódicos ya no se ocupan ni de la inflación, ni del petróleo, incluso les importa un cuerno lo que se cuece en la ONU. *(Pausa.)* Sólo les absorbe el seso que la estrella de moda no se eclipse...

ROSA COHEN: *(Con un hálito de voz.)* Farsante...

EULALIO: ¡Lo dicen los periódicos! *(Exhibe un montón de ejemplares.)* Son los periódicos quienes lo aúllan...

ROSA COHEN: Dámelos.

EULALIO: ¿Los periódicos?

ROSA COHEN: Debo cerciorarme... por mí misma... Por favor.

EULALIO: ¡Perfecto, Cisne! Pero en otro momento... Hay que evitar las fuertes emociones...

ROSA COHEN: ¡Dame los diarios, desgraciado! Dámelos...

(Trata de erguirse; su debilidad la derriba.)

EULALIO: Es correcto y lógico que exijas...

(Eulalio le aproxima a los ojos un puñado de viejos periódicos.)

ROSA COHEN: A ver... ¿dónde pregonan que importo yo más que la inflación y el precio del petróleo...?

EULALIO: Ahí... Ahí...

ROSA COHEN: ¿Dónde es ahí?

EULALIO: En la página editorial... en la Sección de la actualidad trascendente...

ROSA COHEN: ¡Dónde! ¡Dónde!...

EULALIO: Abre bien los ojos... Lee...

ROSA COHEN: ¡No puedo! Al Cisne apenas le queda visión...

EULALIO: ¿Leo yo?

ROSA COHEN: ¿Sin omitir ni agregar de tu cosecha?

EULALIO: Sin agregar nada de mi cosecha...

ROSA COHEN: ¿Aunque sea despiadado lo que digan de Rosa Cohen?

EULALIO: ¡Ajá!

ROSA COHEN: *(En un murmullo.)* Adelante, pues...

EULALIO: El editorial dice... ¡Ejem! *(Ulula.)* ¡Rosa!

ROSA COHEN: *(Exánime.)* Te... oigo.

EULALIO: ¡Ah! *(Resopla.)* Por un momento creí... *(Pausa.)* El editorial... dice... El Cisne de la escena, convaleciente...

ROSA COHEN: ¿Es el título... de la columna?

EULALIO: Es el título.

ROSA COHEN: ¿Con letras grandes?

EULALIO: Con letras monumentales.

ROSA COHEN: Sigue... *(Tose.)* Si eres tan gentil...

EULALIO: Imposible explicarse cómo una leve crisis de agotamiento puede privarnos de la voz, el gesto y la majestad escénica de...

ROSA COHEN: *(Tratando de erguirse.)* Jura que escriben eso...

EULALIO: ¿Dudas de tu relaciones públicas?

ROSA COHEN: Júralo por tu honor.

EULALIO: ¿Que jure por mi honor?

ROSA COHEN: ¡Ajá!

EULALIO: No tengo por hábito jurar...

ROSA COHEN: Entonces... ¡Mientes! *(Se agudiza su crisis.)* Mientes, rastrero funcionario... *(Tose.)* ¡Quiero reventar de una vez! En seguida... ¡Mi pistola!

(Empuña el arma. Temblándole el pulso, apunta a la sien y presiona el gatillo.)

EULALIO: ¡Rosaaaaa!

ROSA COHEN: ¡Puf! Ni dinero para balas...

EULALIO: ¡Joder qué susto! *(Pausa.)* Menudo trago...

ROSA COHEN: Mis barbitúricos.

EULALIO: ¡No! Los barbitúricos, no...

(Eulalio le arrebata un frasco de píldoras.)

ROSA COHEN: ¡Canalla! ¡Rata de alcantarilla! Manipular la mente de una moribunda...

Eulalio: Lo juro por mi honor.

Rosa Cohen: *(Besuqueándole la mano.)* Mon chéri, mon amour... ¡Oh... je t'aime, je t'aime...!

Eulalio: *(Sobrecogido.)* Ya juré.

Rosa Cohen: Ahora sé, mi caballero, que es cierto lo que pregonan los periódicos sobre la doncella...

Eulalio: Descansa, querida...

Rosa Cohen: ¡Ah! Me abraso... Tengo sed... mi amor.

> *(Eulalio ofrece un vaso de agua; ella bebe y escupe.)*

Rosa Cohen: ¿Qué brebaje es éste? ¿Quieres envenenarme?

Eulalio: Es agua, Rosa.

Rosa Cohen: ¡Coñac! ¡Dame coñac! ¿Me oíste? *(En un arrebato de vitalidad.)* Y ya sabes quién lo pide... *(Pausa.)* Si eres flaco de memoria... lee los periódicos... ¡Lee! Y entérate de una puñetera vez al lado de quién estás... Porque es... muy posible que no disfrutes un segundo más de tamaño honor...

> *(Se desploma, desfallecida.)*

Eulalio: Ahí tienes el coñac...

> *(Rosa Cohen bebe con ansiedad.)*

Eulalio: ¿Cómo te encuentras, Cisne?

Rosa Cohen: Exijo la última obra del dramaturgo de moda... Quiero dentro de una hora a Markos

el promotor... Y que se presente el director más
revolucionario de la vanguardia teatral... ¡Quiero
a los chicos de la televisión! ¡A los críticos! A
los reporteros gráficos! Y mueve el ala... porque
dejarás de representar los intereses de tu dulcísima farandulera, y ella dejará caer su último
telón... *(Ronca.)* ¿Has... comprendido?

EULALIO: Pero, Rosa, querida... es una quimera que
en tan escaso tiempo, yo...

ROSA COHEN: Esta vez... Rosa Cohen hará honor
a su palabra. ¡Largo!

> *(Cierra los ojos, resoplando a duras penas.*
> *Eulalio semeja una estatua. Oscuridad. Piar*
> *de aves. Ya con luces se columbra a Eulalio*
> *por el parque. Su desquiciamiento se diluye,*
> *al ver al maniquí-bohemio, pero tiene com-*
> *pañía: al extremo del banco hay un maniquí-*
> *vagabundo con la cabeza recostada sobre un*
> *ruinoso violín.)*

EULALIO: Palomas... Palomas... *(Al maniquí-bohe-*
mio.) ¡Hola! *(Agita la diestra.)* ¿No... me recuerda? *(Pausa.)* Yo soy el... ¡en fin!... ese
que... *(Tartamudea.)* El ciudadano que llenó
de lágrimas su ropa el otro día... *(Pausa.)* No...
No crea que soy un piojo pegadizo... No vengo
a fastidiarlo... ¡De veras que no! *(Pausa.)* Yo no
soy de esos..., no, señor, yo respeto a los artis-
tas... porque usted es de esa familia, lo intuí
nada más guiparlo... *(Pausa.)* Me dije... este señor con ojos tan hondos y frente tan noble...
debe ser artista... de algo... *(Pausa.)* ¿Estaba
creando, eh?... ¿Y qué cultiva? Sí, ¿qué género?... ¿Biografía?... ¿Novela?... ¿Cuento?

¡Oiga! ¿No me diga que inventa usted para la
escena...? *(Pausa.)* Qué... casualidad... ¡Caray!
¿Eh?... No, yo no soy del gremio... ¡Ni hablar!... Pero... estoy... relacionado... con el
mundillo del espectáculo... ¡Espere! No soy actor, ni director, ni escenógrafo... *(Pausa.)* Yo...
Yo soy nada menos que... *(Pausa.)* ¿Padece usted
del corazón? ¡Psé! Allá va... Soy relaciones
públicas de Rosa Cohen... ¡Casi nada! ¿Verdad?...

> *(Escudriña con ansiedad la faz del maniquí-
> bohemio. Luego, Eulalio se distancia del
> banco y lanza granos de arroz por los
> aires.)*

EULALIO: Palomas... Palomitas ... Picad arroz, her-
manitas...

> *(No cesa de meditar. Mientras esparce el
> arroz, otea camufladamente al maniquí-
> bohemio.)*

EULALIO: Arroz, granos suculentos de arroz para
mis... ¡Oiga! ¿Es en serio que a su cabeza se
le ocurren ideas para el teatro? *(Pausa.)* Pero...
¿Seguro, seguro? ¡Claro! No hay más que mi-
rarlo... Tiene usted todo el aspecto de un poeta
dramático... *(Pausa.)* ¿Cómo tratan a sus hijas
de la fantasía? ¡Sí, hombre! Su teatro, ¿cómo
funciona? Es usted... ¿célebre? ¿Obtuvo el
Nobel? *(Pausa.)* No, no obtuvo el premio Nobel... ¿Acaso elabora un teatro total? Lo suponía. Cómo explicar entonces ...¿Creador de una
original estética? Lo sospechaba... ¿Y comer,
eh? Ya. Un bocadillo al día en el parque...
¡Puerca cultura! ¡Despiadado arte! *(Pausa.)*

Pero no se torture, señor, aquí estoy yo... ¿Yo?
¡Ah, sí! Nada menos que el caballero andante
de la Cohen... *(Suspira.)* Con permiso...

*(Amaga un ademán de echar granos de arroz,
pero regresa al banco del parque, con el ojo
clavado en el maniquí del violín.)*

EULALIO: ¿Le estimularía que el Cisne del proscenio
estrenase una creación suya...? ¡Naturalmente!
Su rostro se iluminó... ¡No podía ser de otra
manera! *(Le propina un codazo.)* Imagínese... el
Teatro de las Naciones resplandeciendo de
luces... Y en la marquesina... el título de su
obra, y junto al título... su nombre en monumentales letras de oro... Y a continuación... el
mágico nombre de Rosa Cohen. ¿Qué le parece?
(Pausa.) Y el público apiñándose como hormi-
gas... Y yo, de frac y con sombrero de copa,
anunciando...

*(Guiña un ojo Eulalio, esboza una pirueta
y brinca arriba del banco.)*

EULALIO: ¡Entrez, messieurs-dames...! Come in,
ladies and gentlemen... Entrate, signore e signo-
ri... No se detengan, damas y caballeros... que
va a principiar una función del Teatro de la
Verdad..., cuyo autor es... ¡Ejem! ¡Ejem!...
Obra inspirada en el nuevo lenguaje del teatro
contemporáneo... y al servicio de una realidad
social de la época... ¡No se estrujen! ¡No se
arremolinen en la puerta!, que hay entradas para
todo el mundo...

*(Desciende Eulalio del banco, goteando su-
dor. Saluda con el sombrero hongo en la
mano, y se encara al maniquí-bohemio.)*

EULALIO: ¿Qué le parece? ¿No sería... un sueño? *(Pausa.)* Pues eso y mucho más podría hacer por su dramaturgia Rosa Cohen. *(Prende la pipa y exhala el humo con gesto trascendente.)* ¿Que por qué lo haría? Pues... por un apasionante drama... Y usted da a luz dramas con la inspiración del bardo dramático, ¿cierto? *(Pausa.)* Ni una palabreja más... *(Pausa.)* Vaya... Vaya a por su drama maestro... *(Pausa.)* ¿Por qué me mira así? Ponga pies en polvorosa, el gong de su éxito ha sonado... *(Pausa.)* Apúrese.

(Es Eulalio quien se distancia del banco.)

EULALIO: ¡Un momento! Sepa que el relaciones públicas de la Cohen sólo está dispuesto a esperarle un rato... Es todo.

(Se apaga el cenital que alumbra al maniquí-bohemio. Eulalio fuma con aire relevante. Repara en el maniquí-mendigo y se anima a zarandearle.)

EULALIO: ¡Eh, hermano! ¡Eh...! *(Pausa.)* Con un violín tan maravilloso y roncando a pierna suelta? *(Pausa.)* ¿No le remuerde su conciencia de violinista? *(Pausa.)* ¿Le estimularía tocar para la Cohen? *(Pausa.)* ¿Sabe quién es la Cohen? ¿No? ¡Hereje! *(Pausa.)* ¡Oh!, es igual, lo importante es que usted ofrecerá un concierto al ave azul de las bambalinas... *(Pausa.)* ¿Cómo está de repertorio? Y qué más da. *(Pausa.)* El encuentro con la bella Rosa le inspirará algo etéreo... *(Pausa.)* ¡Eh! ¿Por qué pestañea? *(Pausa.)* ¿Es que no le gustaría participar en un festival de Salzburgo...? Sí, hombre, Salzburgo, cuna de Mozart, eso lograría la Cohen... *(Pausa.)*

¿Imagina? Su violín oyéndose en Salzburgo...
(Pausa.) ¡Hale! Vaya afinando mientras tanto...

*(Chupa Eulalio la pipa, meditabundo. Suena
un violín, como si ensayara una partitura.
Casi mágicamente, se encienden cenitales
alumbrando maniquíes-vagabundos, los cua-
les permanencen recostados sobre los bancos y el césped. El semblante de Eulalio se
ilumina. Ahora sonríe mascando una inspiración, y casi en pantomima platica con
los habitantes del parque, gesticula, exhibe
unos billetes, como tentándolos. La euforia
desborda a Eulalio, mientras se oscurece
el parque. Sólo se oye la nostalgia de un
violín. Al enmudecer, se encienden unas
luces que permiten ver a Eulalio, con la cara
afligida, yendo hacia el camastro de Rosa
Cohen.)*

EULALIO: Rosa... Mi pequeña Rosa... *(La observa
con pánico.)* Muñeca, soy yo... tu agresivo representante, que te trae...

*(Al no dar síntomas de vida, Eulalio le toma
el pulso; Rosa Cohen abre los ojos.)*

ROSA COHEN: ¿Eres tú?...

EULALIO: ¡Rosa! *(Suspira.)* ¿Cómo... se encuentra... mi princesa?

ROSA COHEN: Mal...

EULALIO: ¡Pero no es posible!... No... puedes de-
fraudar al mundo, que te adora.

ROSA COHEN: Mis guardaespaldas deberían darte
una paliza... ¡Volviste a engatusarme!...

EULALIO: Aguarda.

> *(Bajo triunfal sonrisa, Eulalio se pone de pie. La tos de Rosa Cohen es casi inaudible.)*

ROSA COHEN: Deja a esta rosa que se marchite de una vez, por favor...

EULALIO: ¿Sabes que tienes invitados?

ROSA COHEN: Déjalo ya. Déjalo ya...

EULALIO: Conforme. Pero díselo a ellos, no a mí...

ROSA COHEN: ¿A... ellos?

EULALIO: Sí. Díselo al autor de moda, díselo al director más revolucionario de la vanguardia..., díselo a los reporteros gráficos, a la gente de la radio, de la televisión...

ROSA COHEN: ¿Están... por aquí...? ¿Es posible? ¿No es otro sueño?

> *(Tose Eulalio convencionalmente; en el acto, brota un clamor de gritos y silbidos.)*

EULALIO: ¿Acaso el Cisne perdió su oído?

ROSA COHEN: Rápido. Apresúrate.

> *(Arrecia el clamor de una pequeña multitud. Rosa Cohen logró recostarse sobre los almohadones. Su palidez es mortal.)*

EULALIO: ¿Necesitas algo?

ROSA COHEN: Dame ese espejo... mi lápiz de labios... Y ese estuche... ¡Debo maquillarme! Rosa Cohen renace de sus cenizas... ¡Muévete, tarado!...

(Eulalio se esfuerza por complacerla; óyese vibrar a la invisible muchedumbre.)

ROSA COHEN: ¡Mueve el culo! ¿Es que no oyes a los chicos de la prensa?... ¿Sabes, majadero? Voy a reemplazarte... No es fácil representar los intereses de la flor de las candilejas...

EULALIO: Sí, Rosa... sí...

ROSA COHEN: Ordena los muebles... *(Se maquilla con desbordante feminidad.)* Perfuma el apartamento... Que no apeste a sardinas o...

(Eulalio, con un ambientador, perfuma el aposento. Suena un estrépito y una serie de cenitales van iluminando un tropel de maniquíes-vagabundos, que enfocan con sus máquinas de fotografiar de juguete a la diva, inclusive un maniquí permanece agazapado tras una grotesca cámara de televisión, tallada en madera.)

ROSA COHEN: ¡Oh, qué impetuosa es la prensa de hoy...! *(Sonríe como una estrella.)* Calma, chicos, sosegaos...

EULALIO: Qué modales... Qué ansias...

ROSA COHEN: Déjalos... Es natural... que los medios de comunicación se mueran de impaciencia por...

EULALIO: Bien. *(Se interpone entre los maniquíes y Rosa Cohen.)* Rosa Cohen... es para mí una satisfacción muy personal... presentarte a uno de los autores con más garra y hondura de la época...

Rosa Cohen: *(Extendiendo su trémula mano.)* Es un placer.

(Pausa.)

Eulalio: A mi derecha, el director que más ha revolucionado las puestas de escena... Incluso dejó fuera de combate a Grotowski...

Rosa Cohen: Encantada...

Eulalio: Y ahora... *(Se voltea hacia los maniquíes-reporteros.)* ¿Preparada, Rosa Cohen?

Rosa Cohen: Preparada, mi formidable representante...

Eulalio: Caballeros, se abre la rueda de prensa que la insigne Rosa Cohen concede a los medios de difusión mundial...

(Brota un clamor. Eulalio abre los brazos.)

Eulalio: Un inciso. *(Pausa.)* Como representante en exclusiva de Rosa Cohen, me permito sugerirles que se abstengan de preguntas comprometidas... *(Pausa.)* Por una vez dejemos a un lado la ONU, la OTAN y el Pacto de Varsovia...

(Eulalio presiente un viento de cementerio sobre su nuca. Se gira hacia Rosa Cohen y advierte que agoniza.)

Rosa Cohen: Eulalio, pequeño bardo de trenes, Eulalio mío...

(Se sienta él junto a Rosa Cohen, afirmando, y con lágrimas en el rostro se dirige a los maniquíes-vagabundos.)

EULALIO: Señores... por causas ajenas a lo progra-
mado... la señora Cohen delega... en su representante... la conferencia... *(Brincan lagrimones por su mejilla.)* En un minuto... estoy con
tan prestigiosa prensa... *(Pausa.)* ¿Nos dejan
solos, ahora, por favor? Por favor...

> *(Uno tras otro, se apagan los cenitales que
> alumbraban a los maniquíes, a excepción
> del foco que ilumina al muñeco del violín.
> Sobrecogido, Eulalio se desplaza hacia la in-
> móvil Rosa Cohen, que semeja sonreírle.
> Declinan luces. En un ángulo, la luz del
> cenital alumbra cegadoramente el maniquí-
> pordiosero, y, casi por sortilegio, óyese el
> lamento de un violín. Eulalio, agarrotado,
> cierra con ternura los ojos de Rosa.)*

TELÓN

SÍNTESIS BIBLIOGRÁFICA 1979-80

COMENTARIOS Y ANÁLISIS SOBRE EL TEATRO DE
EDUARDO QUILES

BRIESENMEISTER, Dietrich. "La concubina y el dictador...", *Hispanorama,* número 22, julio 1979, Ku-
hardt, República Federal Alemana.

WELLWARTH, George E. "Teatro 1, de Eduardo Quiles",
World Literature Today, otoño, 1979, Oklahoma,
USA.

PRATS RIVELLES, Rafael. "Un teatro para la libertad",
Valencia Atracción, número 531, abril, 1979.

"Por primera vez en España editadas tres obras de
Eduardo Quiles", *Boletín Informativo de la Funda-
ción Juan March,* mayo, 1979, Madrid.

PÉREZ COTERILLO, Moisés. "Eduardo Quiles, teatro",
Triunfo, número 853, 2 junio, 1979.

ARIAS, Fernando. "Farsas de un autor para 6.000 esce-
narios vacíos", *Primer Acto. Cuadernos de Investi-
gación Teatral,* número 183, febrero, 1980, Madrid.

GÓMEZ ORTIZ, Manuel. "Un autor recuperado", *YA,*
1 marzo, 1980.

FERNÁNDEZ-SANTOS, Ángel. "Instinto de escenario",
Diario-16, 7 marzo, 1980.

"Un autor español para la BBC", *El País-Semanal,*
domingo, 13 abril, 1980.

Bonet, Juan. "El teatro de Eduardo Quiles". *Baleares,* agosto, 1980. Palma de Mallorca.

"Un monólogo de Eduardo Quiles publicado en Nueva York", *Levante,* 10 junio, 1980.

Matteini, Carla. "La concubina y el dictador... *Pipirijaina,* número 16. 1980, Madrid.

Obras teatrales publicadas

The Cripples ("Los paralíticos"), en *Modern International Drama,* Binghamton, Nueva York, primavera 1979.

La concubina y el dictador, Pigmeos, vagabundos y omnipotentes y El asalariado. Estudio preliminar de Klaus Pörtl, Editorial Prometeo, Valencia, febrero, 1979.

El Tálamo. Incorporado en *Contemporary Spanish Theater,* edición de Patricia W. O'Connor y Anthony M. Pasquariello, Editorial Charles Scribner's Sons, 1980. Nueva York.

Estrenos (1980)

El asalariado, en Teatro Principal y Teatro Municipal Viveros, de Valencia; Centro Cultural de la Villa de Madrid; Campaña Teatros de Barrios en Madrid; y Sala Mozart, de Palma de Mallorca.

Se acabó de imprimir
en Artes Gráficas Soler, S. A.,
de la ciudad de Valencia,
el 30 de diciembre de 1980